Stimmen aus dem äußersten Norden

8/02

FREMDE KULTUREN IN ALTEN BERICHTEN

Herausgegeben von
Jürgen Osterhammel und
Folker Reichert

Band 11

Stimmen aus dem äußersten Norden

Wie die Grönländer Europa für sich entdeckten

Eingeleitet und erläutert
von Michael Harbsmeier

Jan Thorbecke Verlag Stuttgart
2001

Die Deutsche Bibliothek – CIP-Einheitsaufnahme

Stimmen aus dem äußersten Norden: wie die Grönländer Europa für sich entdeckten / eingeleitet und erl. von Michael Harbsmeier. – Stuttgart: Thorbecke, 2001
(Fremde Kulturen in alten Berichten; Bd. 11)
ISBN 3-7995-0610-1

http://www.thorbecke.de · e-mail: info@thorbecke.de

Dieses Buch ist aus alterungsbeständigem Papier nach DIN-ISO 9706 hergestellt.

Lektorat: Peter Nittmann
Schutzumschlaggestaltung und Reihen-Signet: Neuffer-Design, Freiburg i. Br.

Satz: polyma, Konstanz
Druck und Buchbindearbeiten: Süddeutsche Verlagsgesellschaft mbH, Ulm
Printed in Germany · ISBN 3-7995-0610-1

Inhalt

Vorwort

Dieses Buch verdankt sich in erster Linie einer überaus produktiven und angenehmen Zusammenarbeit mit Kollegen aus Dänemark, Schweden, Norwegen und England im Rahmen eines vom Nordischen Ministerrat großzügig unterstützten Projekts zur vergleichenden Geschichte der Polarforschung in den skandinavischen Ländern. Es ist mir eine besondere Freude, an dieser Stelle Sverker Sörlin, Urban Wråkberg, Pär Eliasson, Robert Marc Friedman, Kennet Pedersen und nicht zuletzt Michael Bravo für ihre Inspiration und ihr Interesse zu danken.

Dank gebührt auch den kritischen Zuhörern, die sich mit früheren Versionen meiner Überlegungen zur Kontinuität der dänisch-grönländischen Beziehungen auseinandergesetzt haben. Dies gilt insbesondere für eines der von Michael Lackner und Philippe Despoix geleiteten Kolloquien über »Forschungsreisen, Begegnungen und Wissensformen« in Berlin und Wolfenbüttel und das Symposium »Varieties of Scientific Experience« am Max Planck-Institut für Wissenschaftsgeschichte in Berlin, wo ich das enthusiastische Interesse von Dorinda Outram und die gesunde Skepsis von Krzysztof Pomian hervorheben möchte. Anderen Foren in Oslo, Kopenhagen und Odense sei ebenfalls für ihr Interesse gedankt.

Wenn man in Kopenhagen wohnt und sich für die Geschichte der dänisch-grönländischen Beziehungen interessiert, sind guter Rat und konstruktive Kritik unschwer zu finden. Ich möchte an dieser Stelle besonders Kirsten Thisted, Birgitte Sonne, und Kirsten Caning vom *Dansk Polarcenter* für die vielfache und unentbehrliche Hilfe danken – aber auch für die Geduld und Nachsicht, mit der sie den eskimologischen Außenseiter haben gewähren lassen. Dank schulde ich auch meinen neuen Kolleginnen und Kollegen am historischen Institut der Universität Roskilde, wo ich so überraschend schnell eine neue Heimat finden konnte. Hierzu haben die über Grönland arbeitenden Doktoranden Christopher Ries und Stine Hvalsum nicht unwesentlich beigetragen.

In den letzten Phasen meiner Arbeit am Manuskript hat mir mein Bruder Dietrich Harbsmeier dankenswerterweise eine Unzahl von Danismen und anderen peinlichen Fehlern erspart. Inge Kleivan kennt die Quellen so viel besser als ich, daß mir zur Danksagung für ihre selbstlose Großzügigkeit beim gemeinsamen Durchgang einer ersten Version die Worte fehlen.

Ohne das Interesse und die Bereitwilligkeit der Herausgeber dieser Reihe und des Verlages hätten die Dänemark für sich entdeckenden Grönländer ohnehin keine Chance gehabt, auf deutsch zu Worte zu kommen.

Kopenhagen, im April 2001 *Michael Harbsmeier*

Einleitung

Stimmen und Körper aus Ultima Thule

Spaziergang

Ein Spaziergang durch die ausgedehnten Parkanlagen des nordseeländischen Schlosses Fredensborg unweit von Kopenhagen führt den Besucher früher oder später in das »Tal der Norweger« mit einer kreisförmig um eine von einer goldenen Kugel gekrönte Siegessäule in der tiefergelegenen Mitte stehenden Gruppe von 70 überlebensgroßen Skulpturen. Bei näherem Zusehen erweisen sich diese Figuren als Repräsentanten verschiedener Berufe aus unterschiedlichen, der dänischen Krone unterstehenden Regionen: die Mehrzahl der Skulpturen stellt norwegische Männer und Frauen, Bauern, Fischer und Handwerker in jeweils regionaltypischer Tracht dar, während die letzten zehn Figuren den Färöer-Inseln gewidmet sind. Darüber hinaus, so lernt man aus der Literatur, waren auch noch vier isländische Skulpturen geplant, die jedoch nie realisiert worden sind[1].

Während sich die Augen des Besuchers beim Rundgang unweigerlich den einzelnen Figuren zuwenden, auf deren Sockel sich trotz der Verwitterung Erwerb und Herkunft, nicht jedoch die Namen der dargestellten Personen entziffern lassen, ist der Blick der steinernen Untertanen steif und unbeweglich auf das monumentale Zentrum der gesamten Anlage, auf die den dänischen Monarchen repräsentierende Siegessäule, gerichtet. Dem Besucher gewährt die Anlage ein Panorama der nach Tracht, Erwerb und Herkunft verschiedenartigen nordischen Untertanen des dänischen Herr-

1 Die Skulpturen im Tal der Norweger werden zur Zeit restauriert. Vgl. Seeger 1917, Scavenius 1997, S. 111–126, Noss 1977.

schers. Der auf die zentrale Siegessäule gerichtete Blick der 70 verschiedenen Figuren verdeutlicht zugleich die unzweideutig imperiale Vision dieser bemerkenswerten Völkerschau *avant la lettre*.

Das »Tal der Norweger« wurde in den sechziger Jahren des 18. Jahrhunderts unter Friedrich V. geplant. Die Skulpturen sind größtenteils nach der Vorgabe einer Reihe von Elfenbeinfiguren von einem gewissen als »Jørgen der Postbote« bekannten Jørgen Garnaas aus Hallingdal in Norwegen durch den deutsch-dänischen Bildhauer Johann Gottfried Grund (1733–1769) ausgeführt worden, zu einem Zeitpunkt also, als ein ethnologisches Interesse am Volksleben, an Trachten und Sitten »gemeiner Leute« noch keineswegs allgemein verbreitet war. Aus kunsthistorischer Sicht stellt das Tal der Norweger ebenso einen Ausnahmefall dar, wie ein Vergleich mit den übrigen Skulpturen des Schloßgartens, die klassischen mythologischen Motiven der Antike gewidmet sind, zeigt.

Der Spaziergang durch das »Tal der Norweger« erinnert den Besucher an die imperiale Vergangenheit des dänischen Königreichs, das erst im Laufe der Kriege und Konflikte des 19. Jahrhunderts auf seine heutige Größe als Nationalstaat zurechtgestutzt worden ist. Zwar waren die Besitzungen Halland, Skåne und Blekinge im südlichen Schweden schon im 17. Jahrhundert verlorengegangen, aber der dänische Gesamt- oder Konglomeratstaat umfaßte im 18. Jahrhundert außer Dänemark im engeren Sinne auch die norddeutschen Herzogtümer, Norwegen, Island, die Färöer-Inseln – und Grönland.

Womit wir zu der Frage gelangt wären, was dies alles denn nun eigentlich mit den Grönländern zu tun haben soll, von denen in diesem Buch die Rede ist, die im »Tal der Norweger« aber scheinbar gar nicht vorkommen[2]. Eine erste Er-

---

2 Nur ein Eisbär und Harpunenspitzen auf einem Medaillon auf dem »Norwegenmonument« von Johannes Wiedeweldt an einer anderen Stelle im Schloßpark verweisen direkt auf Grönland (Gad 1976, S. 64).

klärung für unseren Umweg durch das »Tal der Norweger« ergibt sich, wenn man weiter durch den Schloßgarten bis zu dem See spaziert, der sich am anderen Ende der Parkanlage befindet. Dort hat sich nämlich – worauf wir noch ausführlich zurückkommen werden – im Laufe des 18. Jahrhunderts wiederholt eine andere Völkerschau abgespielt, deren Hauptakteure nicht steinerne Figuren, sondern lebendige Menschen waren. Die ersten Grönländer, die im Zuge der modernen, missionarischen Erschließung und Kolonisierung Grönlands nach Dänemark gelangten, haben hier vor adligem und königlichem Publikum ihre Künste im Kajak vorgeführt, die unter anderem darin bestanden, eigens zu diesem Zweck ausgesetzte Gänse und Enten mit dem Wurfspieß zu erlegen. Ganz wie das »Tal der Norweger« diente auch dieses Schauspiel dem Ziel, die Allmacht und Gewalt des dänischen Monarchen über seine dem Betrachter fremden Untertanen zur Schau zu stellen.

In der neueren dänischen Geschichtsschreibung ist viel von Landwirtschaft und Bauern, von zögernder Industrialisierung und traumatischen Beziehungen zu Deutschland, von nationalem Selbstbewußtsein, Demokratie und den Bürgerkriegen um die Zugehörigkeit der norddeutschen Herzogtümer die Rede, selten aber von der Kontinuität der imperialen und kolonialen Ambitionen, die sich im Park von Schloß Fredensborg so deutlich aufdrängen. Diese dänische »Reichsgemeinschaft« umfaßt – nachdem Island im Zuge des Zweiten Weltkriegs 1944 ausscheiden konnte – bis auf den heutigen Tag die Färöer-Inseln und also auch Grönland.

Der Spaziergang im Schloßgarten von Fredensborg dient hier als Auftakt, weil sich dadurch ein Zusammenhang zwischen Monarchie und Imperialismus andeuten läßt, der in der neueren Geschichtswissenschaft selten thematisiert worden ist.

Kurz vor seinem Tod und auf der Höhe seines internationalen Ruhms als Polarforscher und Grönlandexperte wurde der dänische »Aladdin Grönlands« Knud Rasmussen (1879–1933) darum gebeten, einen Band über die Geschichte der arktischen (und antarktischen) Entdeckungen für das sechsteilige Sammelwerk »Die Eroberung der Erde« zu verfassen, das 1932 in Kopenhagen erschien. »Die Saga der Polarforschung«, so der Titel von Knud Rasmussens Band[3], führt den Leser auf eine Reise durch die Zeiten von Pytheas von Massilia und seiner Reise nach »Thule« um 320 v. Chr. bis zu den damals neuesten, durch Radio und Flugzeug ermöglichten wissenschaftlichen Errungenschaften. Und unter den vielen Helden dieser Saga ragt besonders einer hervor, nämlich Knud Rasmussen selbst, der im Jahre 1910 den mehr als zwei Jahrtausende alten Spekulationen über dieses Thule dadurch ein Ende gesetzt hatte, daß er der von ihm persönlich gegründeten Handels-, Forschungs- und Missionsstation in Nordwestgrönland, die erst viele Jahre später dem Königreich Dänemark einverleibt wurde und nach dem Zweiten Weltkrieg als amerikanische Militärbasis internationalen Ruhm erlangen sollte, den Namen Thule gab[4].

In seinem Versuch, die eigenen Verdienste vor dem Hintergrund der langen Reihe von antiken, mittelalterlich islän-

---

3 Der Band erschien übersetzt von Theodor Geiger 1933 auch auf deutsch, und zwar unter dem Titel: Heldenbuch der Arktis. Entdeckungsreisen zum Nord- und Südpol, Leipzig (Brockhaus).

4 Knud Rasmussens Station war genauer gesagt eine Fortsetzung der 1909 an diesem Ort errichteten Missionsstation *Nordstjernen* (Der Nordstern), deren Namen Knud Rasmussen charakteristischerweise nicht übernommen hat. Zu Knud Rasmussens Biographie siehe Wentzel 1990, Frederiksen 1995 und Fuglsang-Madsen 1996. Über die Geschichte der Handelsstation Thule und insbesondere den ertragreichen Pelzhandel, auf dessen Grundlage Knud Rasmussen einen großen Teil seiner Expeditionen finanzieren konnte, siehe Müntzberg und Simonsen 1996.

dischen, britischen, französischen, holländischen, italienischen, deutschen, kanadischen und nicht zuletzt schwedischen und norwegischen arktischen Entdeckungsreisenden und Polarforschern zu veranschaulichen, hebt Knud Rasmussen besonders einen Umstand hervor: daß er und seine Zeitgenossen sich nämlich nicht besonders moderner und fortgeschrittener Techniken und Instrumente bedient haben, sondern sich im Gegenteil hauptsächlich auf die uralten, traditionellen Techniken des Reisens und Überlebens der eingeborenen Eskimos verlassen haben. Wenn Knud Rasmussen zwischen vier verschiedenen Entwicklungsphasen in der Geschichte der Polarforschung unterscheidet, gewinnt man fast den Eindruck, er habe sich von Marcel Mauss und dessen wegweisender Theorie über die entscheidende Bedeutung der jahreszeitlichen Variationen für das Leben der Eskimos[5] inspirieren lassen.

Anfangs und für die ersten fast zweitausend Jahre galt der Sommer als die einzige für arktische Reisen geeignete Jahreszeit. Die ersten modernen Expeditionen versuchten in der zweiten Phase, diese Begrenzung mit den Mitteln der größeren Bemannung und besseren Ausstattung – nicht zuletzt an Lebensmitteln – zu überwinden, was zu erheblichen Opfern und Verlusten führte. Sie kamen nicht zuletzt in den zahllosen Versuchen zum Ausdruck, verschollen geglaubten Entdeckungsreisenden durch weitere Expeditionen nachzuspüren. Knud Rasmussens eigene Leistung – und die dritte Phase seiner Saga – bestand in dem Versuch, sich systematisch und konsequent auf das Wissen und die Techniken der eingeborenen Experten zu verlassen:

»Einstmals waren alle Reisen in die Polarländer nur kurze Sommerreisen; sobald der Winter nahte, floh man aus dem kalten und ungastlichen Land, wo Sommer und Winter nicht voneinander zu trennen waren. Dann kam die Zeit, als man

---

5 Mauss und Beuchat 1906. Zur Bedeutung der Jahreszeiten für die Geschichte der Polarforschung und der Polarexpeditionen siehe jetzt auch Bravo 2001.

die Behinderungen durch das Klima zu überwinden versuchte. (...) Zu dieser Zeit war man sich darüber klar geworden, daß das Eis im hohen Norden im Sommer auf dem Meer herumtreibt und den Schiffen den Weg versperrt. Also machte man den Winter mit dem gefrorenen Meer zur besten Reisesaison. Aber das kostete Zeit, teure Erfahrungen und vielen Menschen den Tod. Da machten sich die Menschen selbst zu Zugtieren und schleppten unter fürchterlichen Leiden ihre schweren und unpraktischen Schlitten durch den tiefen Schnee. Alles mußte mitgebracht werden, man verstand sich nicht darauf, von den wilden Tieren im Lande zu leben. Und man glaubte, daß man nur gemeinsam und in großer Zahl einander helfen konnte. Dann aber entdeckte man, wie die Eingeborenen der Polarregionen die Widrigkeiten des Winters überwanden, wie sie mit ihren Hundeschlitten zurechtkamen und ihren Lebensunterhalt durch die Jagd bestritten. Und auf diese Weise fing man an, von ihnen zu lernen oder sie in Dienst zu nehmen. Dies war die Epoche der großen Hundeschlittenexpeditionen«[6].

Als er diese Zeilen schrieb, konnte Knud Rasmussen auch schon das Ende dieser wahrhaft heroischen Epoche der Polarforschung erahnen, die in der dann folgenden Zeit mit den neuesten technologischen Errungenschaften auf den Gebieten des Transports und der Kommunikation einhergehen und die vierte und letzte Phase einläuten sollte[7]. Schon 1925, also sieben Jahre zuvor, schrieb Knud Rasmussen:

»Und ich danke von ganzem Herzen meinem Schicksal, daß ich in einer Zeit geboren wurde, zu der die Polarerkundungen mit dem Hundeschlitten noch nicht veraltet waren«[8].

---

6 Rasmussen 1932, S. 392. Alle Übersetzungen stammen vom Bearbeiter dieses Bandes.

7 Sehr schön läßt sich dieser Prozeß in einem Vergleich von Knud Rasmussen mit dem dänischen Geologen Lauge Koch verfolgen. Siehe dazu demnächst die Dissertation von Christopher Ries an der Universität Roskilde.

8 Rasmussen 1925, S. 8.

Knud Rasmussen hatte natürlich viel mit den anderen Größen der Polarforschung des ausgehenden 19. und beginnenden 20. Jahrhunderts gemein, also mit Robert Peary, Alfred Wegener, Carl Weyprecht, Robert Scott, Umberto Cagni und mehr noch mit den nordischen Entdeckungsreisenden Fridtjof Nansen, Otto Sverdrup, Roald Amundsen und Adolf Erik Nordenskiöld. Als Konkurrenten getrennt, aber vereint durch die internationale wissenschaftliche Zusammenarbeit, haben alle diese Forscher und Entdeckungsreisenden in ihrem Kampf in Schnee und Eis um Leben und Tod an einem gemeinsamen ideologischen Projekt teilgenommen: dem Bestreben, maskulinen Mut und maskuline Ausdauer und Willenskraft angesichts denkbar widrigster Umstände und einer schier übermächtigen Natur unter Beweis zu stellen[9].

Knud Rasmussen erhob Anspruch auf seinen, den dänischen Anteil an diesem Projekt unter Hinweis auf seine eigenen, besonderen Qualifikationen. Er war stolz darauf, in Westgrönland geboren und aufgewachsen zu sein, und hat oft darauf hingewiesen, daß zumindest ein Teil seiner Vorfahren echte Grönländer waren. Schon seit seiner Kindheit also war er vertraut mit Hundeschlitten und Kajak sowie den westgrönländischen Gerüchten über heidnische Menschenfresser im hohen Norden, Gerüchte, die er selbst als frühen Beginn seiner Karriere als Polarforscher beschrieben hat. Noch wichtiger für seinen späteren Lebenslauf war jedoch der Umstand, daß er auf diese Weise die grönländische Sprache perfekt zu beherrschen lernte: In dieser Beziehung oder hinsichtlich des Umgangs mit dem Hundeschlitten brauchte Knud Rasmussen keinen Vergleich mit zeitgenössischen Polarforschern zu scheuen.

---

9 Interessante Parallelen zu den skandinavischen, europäischen und nordamerikanischen Polarhelden des frühen 20. Jahrhunderts ergibt ein Blick auf den zeitgenössischen sowjetischen Heldenkult. Siehe hierzu McCannon 1997.

Zumindest ebenso wichtig waren jedoch seine schriftstellerischen Fertigkeiten, die sich in einer Unzahl von mehr oder weniger wissenschaftlichen Publikationen niederschlugen. Nicht nur die Reisebeschreibungen *Die neuen Menschen* (1905), *Vor dem Auge des Tages* (1915) und *Von Grönland zum Stillen Ozean* (1925/26), sondern auch die drei Bände über *Grönländische Mythen und Sagen* (1925) und die lange Reihe der unter dem Titel ›Intellectual Culture‹ auf Englisch erschienenen Berichte, die aus der fünften Thule-Expedition hervorgegangen sind[10], zeichnen sich durch das unermüdliche Bemühen des Verfassers aus, den Stimmen eingeborener Inuit Gehör zu verschaffen[11]. Die oft sehr einfühlsamen und liebevollen biographischen Skizzen und Porträts seiner immer namentlich genannten eingeborenen Reisebegleiter, Freunde, Bekannten und Informanten ziehen sich wie ein roter Faden durch Knud Rasmussens Œuvre. Knud Rasmussens Porträt des »großen Lügners« (Text XII) ist nur ein Beispiel von vielen.

Knud Rasmussen hat nicht die einschlägigen akademischen Qualifikationen besessen; deshalb hat er die dem damaligen Verständnis zufolge eigentliche ethnologische und anthropologische Arbeit an der Rekonstruktion der grönländischen Kulturgeschichte und »materiellen Kultur« gerne dem späteren Begründer der dänischen Ethnologie Kaj Birket-Smith (1893–1977) und anderen überlassen, ohne jemals selbst Anspruch auf professionelle Autorität als Ethnograph oder Ethnologe zu erheben. Dennoch lassen sich Knud Rasmussens umfassende Erkundungen der »intellektuellen Kultur« der Grönländer und anderer Inuit-Gruppen durchaus mit anderen zeitgenössischen Bemühungen um eine Neuor-

---

10 Rasmussen 1929, 1930 und 1932. In einem Fall hat der Übersetzer ohne erkennbaren Grund den Begriff »spiritual culture« gewählt: Rasmussen 1931.

11 Knud Rasmussen unterscheidet sich deutlich von seinen dänischen Vorgängern durch sein Interesse an den kanadischen und nordamerikanischen, also außerhalb Grönlands ansässigen »Eskimos«.

ganisierung der Infrastruktur und Techniken ethnologischer Feldforschung vergleichen. In seiner Analyse von Marcel Griaules vergleichsweise aggressiver, initiatorischer Vorgehensweise bei der Beschaffung ethnographischer Dokumentation hat der Ethnologiehistoriker James Clifford »die Griaule-Tradition« als »eine der wenigen vollständig ausgearbeiteten Alternativen zum anglo-amerikanischen Modell der intensiven teilnehmenden Beobachtung« beschrieben[12]. Die von Knud Rasmussen geprägte Tradition arktischer Ethnographie kann als eine weitere, scheinbar weniger aggressive, aber ebenso systematisch ausgearbeitete Alternative angesehen werden.

Unter Knud Rasmussens Regie zielte die Erforschung der Inuit-Kulturen darauf ab, ein möglichst breit gefächertes Panorama von Porträts verschiedener namentlich genannter Inuit zu erstellen, die sowohl in den wissenschaftlichen als auch in den ein größeres Publikum ansprechenden Expeditionsberichten als Informanten, Mitreisende, Helfer, Assistenten und Freunde die Schilderung des Reiseverlaufs immer wieder bereichern und unterbrechen. Im Vergleich mit anderen, scheinbar zukunftsträchtigeren Traditionen der ethnographischen Forschung und Berichterstattung zu Beginn des 20. Jahrhunderts zeichnen sich Knud Rasmussen und seine Expeditionen und Expeditionsberichte durch das hohe Maß an Beteiligung der Eingeborenen aus. Knud Rasmussen war stolz darauf, daß an der großen fünften Thule-Expedition ebensoviele Inuit wie Dänen teilgenommen hatten[13].

Zieht man indessen die früheren dänischen Schriften über Grönland zum Vergleich heran, so erscheint Knud Rasmussens ostentatives Vertrauen auf eingeborene Informanten, Helfer, Reisebegleiter und Freunde als beileibe nicht so innovativ und originell. Statt einen Bruch mit früheren Gewohnheiten, Konventionen und Traditionen anzubahnen, er-

12 Clifford 1983, S. 60.
13 Rasmussen 1932, S. 263.

weist sich Knud Rasmussens unablässliches Bemühen um die authentisch grönländischen Stimmen und Sichtweisen seiner vielen Mitverfasser eher als erweiterte Variation einer Vorgehens- und Darstellungsweise, deren Ursprünge bis auf die ersten Anfänge der modernen dänischen Erschließung Grönlands zu Beginn des 17. Jahrhunderts zurückverfolgt werden können und seither in verschiedenen Ausformungen die koloniale und postkoloniale dänische Aneignung Grönlands geprägt haben.

Die Entwicklung der dänischen Literatur über Grönland läßt sich nur vor dem Hintergrund der altnordischen Besiedlungsversuche des Mittelalters verstehen, die in den isländischen Saga-Texten überliefert sind. Frühneuzeitliche dänische Beschreibungen und Berichte über die Grönländer, die mit den Expeditionen unter Christian IV. im Jahre 1605 ihren Anfang nahmen[14], hatten ihren Ursprung in der Suche nach den Spuren und Nachfahren der altisländischen Kolonisatoren und Siedler, die bekanntlich vor allem aus Norwegen kamen. Enttäuscht und frustriert über die Ergebnislosigkeit ihrer Bemühungen haben die frühen, vom dänischen Königshaus entsandten Entdeckungsreisenden sich an denjenigen gerächt, die sie statt der erwarteten Nachkommen ihrer eigenen Vorfahren vorfanden: an den in den Sagas »skrælinger« genannten heidnischen Grönländern oder Eskimos[15]. Anscheinend war es ein fester Bestandteil der königlichen Instruktionen für diese Expeditionen, eine nicht näher be-

---

14 Abgesehen von der ergebnislosen Expedition unter Christian I. im Jahre 1473. Siehe hierzu Bobé 1936, 1, S. 3–4.

15 Zwar kann die Herleitung des Namens »Eskimo« aus einer unter jesuitischem Einfluß entstandenen indianischen Umwertung des französischen Wortes »excommuniqué« wohl nur als ein Witz gelten, aber die Selbstbezeichnung »Inuit« hat in neuerer Zeit die Bezeichnung »Eskimo« eben deshalb verdrängt, weil letztere auf eine Fremdbezeichnung seitens verschiedener nordamerikanischer Indianergruppen zurückgeht. Autoritativ hierzu das Handbook of North American Indians, vol 5: Arctic (Damas 1984), sowie Mailhot 1978.

stimmte Anzahl solcher »Wilden« einzufangen, um sie mit nach Hause zu bringen und dem Königshaus vorzuführen.

Im Folgenden soll der Nachweis erbracht werden, daß die königlich sanktionierten, gewaltsamen Entführungen grönländischer Individuen im 17. Jahrhundert die Anfänge einer Tradition bezeichnen, die bis zu Knud Rasmussen und noch darüber hinaus in immer wieder veränderten und erneuerten Formen weitergeführt worden ist. Der Kern dieser Tradition besteht in der Darstellung und Zurschaustellung einzelner Inuit oder Eskimos als Zeichen, Stimmen, Ikonen, Spiegel und Beweis zunächst königlich-imperialer, später auch wissenschaftlich-zivilisatorischer dänischer Oberhoheit und Überlegenheit.

Menschenraub und gewaltsame Entführung haben, wie es scheint, nur wenig mit der symbolischen Gewalt gemein, die in Knud Rasmussens Inszenierung »seiner« Informanten, Freunde, Helfer und Informanten kaum noch wahrnehmbar ist. Dennoch möchte ich zu zeigen versuchen, daß sich in der Geschichte der dänisch-grönländischen Austauschbeziehungen trotz der offenbar tiefgreifenden Veränderungen und Diskontinuitäten ein grundlegend unverändertes Muster reproduziert, das man mit dem Begriff »Interpellation« umschreiben könnte[16].

Sowohl die gewaltsamen Entführungen des 17. Jahrhunderts als auch die späteren, freiwilligen Reisen einzelner Grönländer nach Dänemark und Europa sowie Knud Rasmussens lange Reihe biographischer Skizzen und Porträts einzelner Grönländer (und anderer Inuit) haben eines mit dem in der Einleitung genannten »Tal der Norweger« gemein: Sie dienen der Darstellung und Inszenierung von Ein-

---

16 Der Begriff »Interpellation« spielte seinerzeit eine wesentliche Rolle in Louis Althussers Theorie der »ideologischen Staatsapparate«. Gemeint ist mit diesem Begriff die Bemündigung von Individuen zu Subjekten verschiedener Formen der politischen und ideologischen Praxis im Rahmen einer bestimmten Gesellschaftsformation. Siehe dazu näher Althusser 1976.

zelpersonen als Untertanen und Untergebene einer auf Wahrheit und Wissen zielenden und bauenden Macht. Die grönländischen Subjekte werden zwar äußerst unterschiedlich behandelt und beschrieben, in allen Fällen aber dienen allein ihr eigener Körper und ihre Stimme als unhintergehbar letzte Instanz, als Pfand und Kronzeuge der zwar asymmetrischen, aber komplementären Beziehungen zwischen beobachtenden und beschreibenden Dänen und dargestellten und beschriebenen Grönländern. Ob mit Gewalt oder in aller Freundschaft und Friedfertigkeit – nur in der gegenseitigen Anerkennung der den Grönländern eigenen Stimmen und Körper vollziehen sich imperiales Wissen und imperiale Macht sowohl in den Beutezügen unter Christian IV. als auch in Knud Rasmussens Expeditionsberichten.

Als Knud Rasmussen seiner nordgrönländischen Forschungs-, Handels- und Missionsstation den Namen Thule gab, erfüllte sich eine mehr als zweitausend Jahre alte Vision. Pytheas von Masilia war, im 3. Jahrhundert vor unserer Zeitrechnung, einer der ersten, der den Namen Thule als Bezeichnung für eine Örtlichkeit benutzte, die so weit im Norden lag, daß nicht einmal der größte und tüchtigste Wagehals unter den Entdeckungsreisenden – natürlich abgesehen von Pytheas selbst – jemals dorthin gelangen könnte. Knud Rasmussen meinte in seiner ›Saga der Polarforschung‹, daß Pytheas wahrscheinlich kaum weiter nach Norden vorgestoßen sein konnte als an die mittlere Westküste Norwegens (Rasmussen 1932, S. 11–15)[17]. Was jedoch Knud Rasmussen an keiner Stelle erwähnt, ist der weit mehr bekannte und einflußreiche Hinweis auf »Thule« in der klassischen Literatur: Vergils Vision von der Wiederauferstehung des Augustus als Retter des römischen Reiches, dem sogar »Ultima Thule« sich unterwerfen werde (Georgica I, 30).

---

17 Der Geograph Hans Peter Steensby war hingegen der Meinung gewesen, Pytheas sei nur bis an die jütländische Westküste gelangt (Steensby 1917/18).

Vergils hexametrische Formel »Tibi serviat ultima Thule« diente als Motto für Karl V. und seine Eroberungen in der Neuen Welt[18]. »Tibi serviat ultima Thule« kann aber auch dazu dienen, uns an die oft vergessenen und verschwiegenen imperialen Ambitionen und Visionen zu erinnern, auf die wir in unserem einleitenden Spaziergang im Schloßgarten von Fredensborg sowie bei Knud Rasmussen gestoßen sind. Im Folgenden soll es aus dieser Perspektive um die Grönländer gehen, denen es im Laufe des 17., 18. und 19. Jahrhunderts auf die eine oder andere Weise beschieden war, Dänemark und Europa für sich und ihre Landsleute zu bereisen und zu entdecken.

Menschenraub

Menschenraub und die Versklavung von »Wilden«, um sie mit nach Hause zu schleppen und vor Herrscher und Öffentlichkeit als Siegestrophäen und Zeichen der Allmacht des Herrschers zu präsentieren, waren im Zeitalter der großen Entdeckungen des 15. und 16. Jahrhunderts eine weit verbreitete Praxis. Im Rahmen der europäischen »Erschließung« der Kanarischen Inseln ist es schon im 14. Jahrhundert zu einer Gefangennahme von vier eingeborenen Männern gekommen, denen Giovanni Boccaccio in seinem Text ›De Canaria et insulis reliquis ultra Hispaniam noviter repertis‹ eine ausführliche Beschreibung gewidmet hat[19]. Und als beispielsweise Columbus von seiner ersten transatlantischen Reise zurückkehrte, zog er am 31. März 1493 in einem großen Triumphzug durch die Straßen von Sevilla. Unter den von den jubelnden Zuschauern bewunderten Schätzen befand sich auch eine Gruppe versklavter Indianer, die Käfige mit farbenprächtigen

18 Für eine detaillierte Diskussion der Bedeutung von »Thule« und »Ultima Thule« in der Antike siehe Romm 1992, S. 124–171.

19 Siehe dazu Hulme 1994, S. 180f.

Papageien vor sich her trugen und, so Columbus in seinem Tagebuch, damit bei weitem die größte Aufmerksamkeit des Publikums erregten. Als die Vorstellung zwei Wochen später in Barcelona wiederholt wurde, war auch das Regentenpaar zugegen: »Am meisten bestaunten die Majestäten (...) – genauso wie das gewöhnliche Volk – die Indianer und Indianerinnen, die regungslos dastanden, als wären sie nicht aus Fleisch und Blut, sondern kupferne Statuen«[20].

Columbus war bei weitem nicht der einzige Entdeckungsreisende, der nach dem Vorbild der klassisch-römischen Triumphzüge exotische Kriegsgefangene als spektakulärsten Teil der Beute bei seinem triumphalen Einzug auftreten ließ. »Im 15. und frühen 16. Jahrhundert«, so heißt es bei Hugh Honour, »war es keine Seltenheit, daß Leute aus fernen Ländern mit nach Europa genommen wurden«[21]. Die Umstände, unter denen 1501 und 1502 eine Gruppe von Menschen aus Neufundland nach England und Portugal, 1506 der Brasilianer Essomeriq oder 1532 ein weiterer brasilianischer Indianer nach England gelangten, um dort zur Schau gestellt zu werden, sind zwar nicht genauer bekannt, aber die Teilnahme einer Gruppe ost- und westindischer Herkunft am Triumphzug für Kaiser Maximilian 1526 ist durch die Zeichnungen von Albrecht Dürer und Hans Burkmair zumindest geplant gewesen[22]. Und als Hernán Cortés 1528 nach Spanien zurückkehrte, ließ er sich nicht nur von einem Gefolge adliger Caciques, sondern auch von einer Gruppe aztekischer Akrobaten und Seiltänzer begleiten, um damit vor Karl V. seine Siege und Eroberungen in der Neuen Welt zu bezeugen[23].

---

20 Hier zitiert nach Goldmann 1985, S. 243.

21 Honour 1982, S. 28.

22 Siehe hierzu Goldmann 1985, S. 244, mit weiterführenden Literaturhinweisen.

23 Von Bernal Díaz del Castillo (1982, S. 584) werden diese Seiltänzer nur kurz erwähnt. Der Maler Christoph Weiditz, der bei diesem Aufzug anwesend war, hat die mexikanischen Akrobaten in einer Reihe von kolorierten Zeichnungen festgehalten. Siehe dazu Honour 1982, S. 28–31.

Der vielleicht berühmteste, jedenfalls aber am besten dokumentierte Fall war der Einzug Heinrichs II. und seiner Gemahlin in die damals bedeutende Hafenstadt Rouen im Jahre 1550, bei dem nicht weniger als 50 authentische brasilianische Tupi-Indianer aus der neugegründeten französischen Küstenkolonie zusammen mit 250 als Kannibalen verkleideten französischen Soldaten mit Szenen aus Krieg und Alltagsleben aufgetreten sind[24].

Wahrscheinlich hat es viele weitere, in den Quellen schlechter belegte Fälle gegeben. Beschränkt man sich auf das nördliche Nordamerika und Grönland, also auf die Eskimos, scheint das früheste dokumentierte Ereignis 1567 stattgefunden zu haben, als eine von französischen Seeleuten gekidnappte Frau mit ihrem Kind aus Labrador in Holland auftauchte[25]. Darüber hinaus haben zumindest zwei frühe britische Expeditionen sich ausdrücklich darum bemüht, lebendige menschliche Belege ihrer Tätigkeiten mit nach Hause zu bringen. Martin Frobisher hatte bei diesem in seinem Bericht ausführlich geschilderten[26] Bemühen Erfolg und konnte 1578 zwei kanadische Eskimos vorstellen, die von John White und anderen abgebildet worden sind[27]. Die von John Davis 1587 eingefangenen Grönländer scheinen noch während der Reise nach England umgekommen zu sein[28].

Aufgrund der schwierigen Quellenlage und der eher sporadischen neueren Forschung fällt es schwer, einen vergleichenden Überblick über die Anzahl der geraubten und entführten »Wilden« zu gewinnen, die teils ganz offiziell für Hof,

---

24 Siehe Goldmann 1985, S. 245, Honour 1982, S. 29, die beide auf Denis 1850 verweisen. Für eine außerordentlich perspektivenreiche Analyse des Einzugs in Rouen siehe jetzt Wintroub 1998.

25 Sturtevant/Quinn 1989, S. 61–68.

26 Eine sehr aufschlußreiche Analyse der Texte über die von Frobisher entführten Eskimos findet sich bei Stephen Greenblatt (1991, S. 110ff.).

27 Siehe hierzu Birket-Smith 1959 und Gulløv 1978, S. 10, 18, besonders aber Sturtevant/Quinn 1989.

28 Gulløv 1978, S. 10.

Abb. 1: Die von Martin Frobisher 1576 und 1577 nach England verschleppten Inuit aus Baffin Island sind vielfach abgebildet worden. Das hier wiedergegebene Portrait von Kalich und Arnaq mit ihrer Tochter Nutaaq ist 1578 in Augsburg gedruckt worden.

ygentlicher Abbildung eines
en Landschafft oder Insul/newlicher zeit vom
rstandene Schiffart auß Engelland gegen Vernal
en Christenheyt erkündigt.

König und Kaiser oder aber, und hier ist die Quellenlage noch komplizierter, aus rein kommerziellen Motiven auf dem Marktplatz und dem Jahrmarkt in Europa zur Schau gestellt worden sind. Dennoch ergibt sich auf der Grundlage der vorliegenden Literatur der Anschein, daß das dänische Königshaus in diesem Zusammenhang eine ganz besondere Rolle gespielt hat. Alle bisher zitierten Beispiele stammen aus dem 15. oder 16. Jahrhundert. Im dänischen Reich hingegen fängt die Geschichte der offiziell sanktionierten Entführungen und der ebenso offiziellen exotischen Aufzüge zu Anfang des 17. Jahrhunderts erst richtig an[29].

Das erste der Schiffe, die an der von Christian IV. 1605 zur Wiederentdeckung Grönlands ausgesandten Expedition teilgenommen haben, kehrte am 28. Juli desselben Jahres wieder zurück. An Bord des Schiffes *Røde Løffue* (Roter Löwe) befanden sich zwei Grönländer aus der Nähe des heutigen Qeqertarsuatsiaat (Fiskenæs), die der dänische Kapitän Godske Lindenov mit Gewalt entführt hatte. Als zwei andere Schiffe unter dem Kommando der englischen Kapitäne Cunningham und Hull zwei Wochen später einliefen, erhielten drei weitere, bei Sisimiut (Holsteinsborg) ergriffene Grönländer die Gelegenheit, Kopenhagen für sich zu entdecken. Späteren Quellen zufolge litten alle diese fünf Grönländer an heftigem »Heimweh« und unternahmen mehrere verzweifelte Fluchtversuche.

Als Godske Lindenov im frühen Mai des nächsten Jahres abermals mit fünf Schiffen nach Grönland auslief, nahm er drei dieser Grönländer mit. Zwei von ihnen kamen noch vor der Ankunft in Grönland um, während das Schicksal des dritten unbekannt geblieben ist. Als Lindenov im Herbst 1606 wieder zurückkehrte, konnte er dem König und der Öffentlichkeit vier weitere heidnische Wilde aus dem ehemals

---

29 Detaillierte Darstellungen der dänischen Expeditionen in der ersten Hälfte des 17. Jahrhunderts finden sich in Gosch 1897 und Bobé 1936, 1. Eine ausgezeichnete Übersicht gibt Bertelsen 1945, S. 9–25.

christlichen Grönland vorstellen. Und als ob dies noch nicht ausreichte, wurde im darauffolgenden Jahr eine weitere Expedition entsandt, deren menschenräuberischen Absichten jedoch kein Erfolg beschieden war[30]. Die meisten der in Dänemark verbleibenden Grönländer überlebten nicht lange. Daß aber einer von ihnen angeblich aufgrund seiner Überanstrengungen als Perlentaucher im ostjütländischen Kolding umgekommen sei, ist einem Mißverständnis zuzuschreiben: In diesem Fall handelt es sich in Wirklichkeit um einen Gast südasiatischer Herkunft, der von Admiral Ove Gjedde auf seiner Expedition entführt und mit nach Hause gebracht worden war[31].

Die nächste dänische Erkundungsreise in nördlicher Richtung fand 1636 aufgrund der Initiative einer »Kompanie für die Besegelung Grönlands« statt. Zwar hatte diese Expedition nicht den beabsichtigten Erfolg, aber das der Kompanie zugestandene königliche Privileg vom 18. Februar 1636 enthielt die Anforderung, »wenn möglich jedes Jahr Uns [also dem unterzeichnenden Christian IV.; M. H.] ein paar junge Personen der Eingeborenen des Landes auszuführen, ungefähr 16, 18, oder 20 Jahre alt, die man hier, zum Behufe der auf lange Sicht größeren Seligkeit und Wohlfahrt in den betroffenen Ländern, in Gottesfurcht, der Sprache und den buchbezogenen Künsten unterweisen könnte«[32].

---

30 Olearius 1656, S. 166.

31 Siehe dazu genauer Bertelsen 1945, S. 16f.

32 Zitiert nach Bobé 1936, 3, S. 18. Auch Bertelsen (1945, S. 17f.) zitiert diese Passage, ohne den unmittelbar vorhergehenden Satz zu zitieren, der ausdrücklich zunächst friedlichen Handel fordert. Er lautet: »Zweitens sollen sie vornehmlich mit unseren armen Leuten handeln, unseren Untertanen und Einwohnern dortselbst, wenn sie sie antreffen, und keine Macht und Gewalt anwenden, es sei denn dies geschehe oder werde notwendig, um, wie es einem jedem erlaubt ist, Macht und Gewalt anderer abzuwehren« (Bobé 1936, 3, S. 18). Diese Anweisung steht in deutlichem Kontrast zu der in den narrativen Quellen nahezu genüßlich geschilderten Gewaltanwendung gegenüber den eingeborenen Grönländern.

Die Mannschaft tat ihr Bestes, indem sie auf einem der Schiffe zwei junge Männer an den Mast fesselte. Als man ihnen aber einige Meilen von der Küste entfernt die Fesseln löste, ergriffen sie die erste Möglichkeit, ins Meer zu springen und in Richtung Norden zu schwimmen, wobei sie vermutlich ertrunken sind[33].

Der letzte der dänischen Versuche des 17. Jahrhunderts, den König mit menschlichen Beweisen seiner Macht über Ultima Thule zu versorgen, fand 1654 statt und ist in den Quellen sehr viel besser und anschaulicher belegt. Ihiob, der einzige Mann, und die drei Frauen Küneling, Kabelau und Sigoko – in diesem Fall erfahren wir also erstmals die Namen der Geraubten – sind nicht nur schon während ihres Zwischenaufenthaltes in Bergen auf einem Ölgemälde getreulich abgebildet worden, sondern später auch auf Schloß Gottorp, wo die drei Frauen von Adam Olearius, dem hochgelehrten Bibliothekar und Sekretär Friedrichs III. und Verfasser und Herausgeber von Reiseberichten, ausführlich untersucht und ausgefragt worden sind[34].

Adam Olearius' Beschreibung der Grönländer ist an eher entlegener Stelle als vergleichender Exkurs zur Schilderung der Samojeden in der zweiten Auflage seiner umfassenden

33 Bertelsen 1945, S. 18. Bertelsen bezieht sich auch hier auf Olearius.

34 Wieder zurück in Kopenhagen, wurden die drei grönländischen Damen bei dem Generalzollverwalter Henrik Müller untergebracht, wo sie einer zeitgenössischen Quelle zufolge gut behandelt wurden: »Der vortreffliche königliche Zinsverwalter Henrik Müller nahm die Frauen gastfrei in seinem Haus auf und bestimmte, daß sie derart behandelt werden sollten, daß sie im freundlichen Umgang an unsere Sitten und unsere Sprache gewöhnt würden, so daß sie mit der Zeit sowohl in der christlichen Religion erzogen werden könnten und, wenn sie dann in ihr Vaterland zurückgekehrt sein würden, dort den Handel mit uns weiter stärken und noch fruchtbarer machen könnten. Die fremden Frauen konnten aber unser Klima und unsere Lebensweise nicht ertragen, obwohl sie so rücksichtsvoll wie nur möglich behandelt wurden; sie starben eine nach der anderen, wobei die Jüngste am längsten überlebte« (zitiert nach Bertelsen 1945, S. 21).

Beschreibung der Muscowitischen und Persischen Reise aus dem Jahre 1656 veröffentlicht worden. Olearius' Bericht über die Gefangennahme der Grönländer durch Kapitän Dannel und seine Mannschaft und das weitere Schicksal dieser grönländischen Entdeckungsreisenden stammt zwar nicht von einem Augenzeugen, verdient es aber, hier in extenso wiedergegeben zu werden:

> »Die Wilden seynd alsbald mit ihren kleinen Böthgen bey 100. umb ihr Schiff gekommen / haben zwar erst nicht trawen und an Bort kommen wollen / da man ihnen aber freundlich zugewincket / und sich alles guten erboten / seynd sie dreister worden / auffs Schiff gekommen / und sich zur Handlung bequemet. Sie haben auch bißweilen etliche Weibes Personen mit an den Bort gebracht / Lust halber die frembden Völcker zu sehen / und auch durch derselben Gebrauch von den Frembden etwas zu gewinnen. Maßen sie ein hitzig Volck und zur Hurerey sehr geneiget / und bey ihnen kein verbot darwider seyn sol. Dadurch seynd auch ihrer etliche von den Dänen gefangen worden. Dann als zuletzt / da daß Schiff wieder fort gewolt / unter andern Handelsleuten auch etliche Weibes Personen sich mit auff dem Schiff befunden / und eine unter ihnen gerne ein par Messer von einem Boßmann erhandlen wollen / ihm Seehunde Fall darfür geboten / er aber solche zu geringe geschätzet / hat sie mit Geberden und Zeichen angedeutet / und zu verstehen gegeben / ob ihm etwa belüstete ihr lebendiges Fell zu gebrauchen? Als der Boßmann ja gewincket / hat sie alsbald ihre Hosen auffgelöset / und sich auff dem Überlauff für allen Leuten niederlegen wollen. Als der Boßmann aber zu verstehen gegeben / daß sichs nicht geziemet / solche Wercke offentlich zuthun / sondern sie solte mit ihm hinunter in den Raum gehen / gehet sie zu ihrem Vater / welcher zugegen war / und fraget, was darbey zuthun / ob sie dem Boßmann folgen sol.

Der Vater bewilligets / gehet aber neben noch zwo alten Frawn / einen Knaben und einen Mägdigen mit hinunter / wollen sehen / wie der Handel ablaufft. In dem sie aber kaum hinunter / wird die Lucke zugemachet / die Segel dem Winde gegeben / und darvon geschiffet. Als die Wilden gesehen / daß sie berückt seynd / entstehet in und ausser dem Schiffe ein groß und jämmerlich Geschrey / die noch auff dem Schiffe frey / haben sich geschwinde darvon zu ihre Böthgen gemachet. Ihrer viel seynd auff ihren Böthgen dem Schiffe auff etliche Meilen gefolget / in Meynung ihre Gefangene wieder loß zu bekommen. Der Knabe ist so wild und behende gewesen / daß er einem Boßmann / der ihn gehalten / erst die Kleider in Händen gelassen und sich heraus gemachet / und hernach sich selbst / als er ihn bloß angefasset / aus den Händen gedrehet / und durch das Loch / durch welches das Anckertaw gehet / so etwas weit gewesen / gedrungen / ins Wasser gesprungen und darvon geschwummen. Noch gar ein alt Weib / welches mit gefangen worden / hat man nicht behalten wollen / sondern den andern auff der See zugewincket / daß sie selbige wieder nach sich genommen. Sind also 4. Personen von den Wilden im Schiffe geblieben / nemblich ein Mann / zwo Frawen und ein Mägdigen / die sich zwar anfänglich übel angestellet / weil man ihnen aber freundlich zugeredet / gütlich gethan / und zu verstehen geben / daß man sie wolle wieder in ihr Land bringen / haben sie sich etwas zu frieden gegeben. Als sie nach Bergen in Norwegen angelanget / hat sich der Mann gar lustig und mutig angestellet / und einer fürnehmen Frawen / welche neben andern die Wilden zu schawen gekommen / nach den Kniehen greiffen wollen. Er ist aber hernach / ehe sie in Dennemarck gekommen / auff dem Schiffe gestorben. Seine Tochter da sie gesehen / daß numehr die Seele aus ihm gehen wil / hat ihm das angesicht in sein Kleid feste zu geschnüret / und also sterben las-

> sen. Nach etlichen Stunden / als sie ihn mit grossem Geschrey beweinet / ist er also eingeschnüret über Bort geworffen worden. Sein Nahm ist gewesen / Ihiob. Die übrigen 3. aber seynd gesund mit heraus gekommen. Die älteste ein Weib von 45. Jahren / hieß Küneling / hatte 2. Kinder zu Hauß gelassen. Die mittelste von 25. Jahren / Kabelau. Diese war / durch welche sie alle gefangen worden. Die jüngste von 13. Jahren / Sigoko«[35].

Adam Olearius hat den dramatischen Verlauf der unfreiwilligen Entdeckungsreise dieser Gruppe von Grönländern in allen Schritten von der Gefangennahme bis zum tödlichen Ausgang sehr ausführlich geschildert. Aber sein Bericht folgt einem Muster, dem in fragmentarischer Form auch die früheren Darstellungen gefolgt sind: Am Anfang stehen Furcht und Vorbehalte seitens der »Wilden« gegenüber der List und Entschlossenheit auf dänischer Seite; das Zwischenspiel des friedlichen Austauschs und der Herbeiführung vertrauensvoller Beziehungen endet buchstäblich damit, daß die Wilden sich eine Blöße geben, die die Dänen umgehend auszunützen verstehen. Die panische Reaktion der Gefangenen und ihre verzweifelten Fluchtversuche ebenso wie ihre anschließende Resignation sind in den früheren Berichten ähnlich, wenn auch weniger ausführlich geschildert worden. Das in aller Regel tragische Ende der unfreiwilligen Entdeckungsreisenden in umgekehrter Richtung deutet sich bei Olearius durch den Tod von Ihiob schon vor der Ankunft in Kopenhagen an. Olearius konnte zur Zeit der Niederschrift nicht wissen, daß die drei Frauen, nachdem sie König Friedrich III. in Flensburg (wo er sich aufgrund einer Epidemie in Kopenhagen aufhielt) vorgestellt worden waren und anschließend Gottorp besucht hatten, kurz nach ihrer Rückkehr nach Kopenhagen umgekommen sind.

---

35 Olearius 1656, S. 168f.

Man mag sich wundern, anhand welcher (mündlicher?) Quellen Olearius zu einer so detaillierten Schilderung der dramatischen Gefangennahme vor der grönländischen Westküste gelangen konnte. Es kann aber kein Zweifel daran bestehen, daß früher veröffentlichte Schilderungen ähnlicher Ereignisfolgen wie zum Beispiel Claus Christophersen Lyschanders dänisches Epos *Die grönländische Chronik* aus dem Jahre 1608 bei ihren Lesern auf mindestens ebenso dramatische Wirkungen zielten. Lyschanders Reimchronik, die wie Olearius' Bericht auf zeitgenössischen mündlichen Quellen aufbauen konnte, beschäftigt sich ausführlich mit dem heftigen Widerstand, den jene Grönländer an den Tag legten, die von der Besatzung des Schiffes *Røde Løffue* 1605 gefangengenommen worden waren. Als die Grönländer ihre Machtlosigkeit erkannt hatten,

> »wurden sie verbittert und wollten sich keinesfalls zwingen lassen, sondern setzten sich nach besten Kräften zur Gegenwehr, sie bissen und schlugen wie Hunde und Pferde, als ob sie den Verstand verloren hätten. Und wie das wildeste Wildschwein oder der Hirsch, wenn das Netz der Jäger sich um sie spannt, kämpften und sprangen sie grausam umher. Sie griffen an mit Macht und Mut und achteten keinen, der um sie stand, und auch nicht die Schläge und geschliffenen Schwerter. Sie griffen ins Schwert mit bloßen Händen, so daß das Blut ihnen über den Körper rann, und ließen sich doch nicht einschüchtern, sondern taten alles, was ihnen möglich war, so daß man sie schließlich wie die Schweine binden und fesseln mußte«[36].

---

36 LYSCHANDER 229, Verse 3691–3707. Meine Übersetzung verzichtet darauf, Versmaß und Reim wiederzugeben. Siehe auch BERTELSEN 1945, S. 9. Lyschanders Beschreibung der zweiten Episode ist sehr ähnlich. Einer der ersten zwei Grönländer wurde übrigens später zu dem Historiographen Arild Huitfeldt auf Schloß Dragsholm gesandt, um ihn in der dänischen Sprache unterrichten zu lassen. Aus

Abb. 2: Sigoko, Küneling, Kabelau und Ihiob wie sie in Adam Olearius' Reisebeschreibung abgebildet worden sind.

Mit nur geringfügig anderen Worten hat Lyschander auch eine zweite Gefangennahme geschildert, die auf einem anderen Schiff derselben Expedition stattfand. Nach einem Monat vor Anker entschloß man sich bei günstigem Wetter zur Heimkehr, nicht jedoch ohne zuvor vier »Landsleute« zur Mitreise gezwungen zu haben:

> »Sie begannen, sich hochlaut zu widersetzen, sie rissen und schlissen wie der Hund an der Kette, sie achteten niemand, auch nicht die bewaffnete Hand, und taten alles, was sie nur konnten. Und sie waren so unregierbar, so verrückt und so wild wie gierige Löwen und brennende Flammen, ganz ruhelos auf jedwede Weise. Sie merkten weder den Schlag noch den Stock und gaben acht unserer Leute genug zu bestellen. Bevor man sie bezwingen konnte, wurden die einen an den starken Mast gebunden, die anderen unter Deck geworfen und gezwungen, dort drinnen zu bleiben. Der eine war so fürchterlich und übte so heftigen Widerstand, er scherte sich um keines Mannes Leben. Der Kapitän zog seine Muskete hervor mit Pulver und Krach, so daß er auf der Stelle verstarb. Die anderen sahen, wie es ihm ergangen, und fingen an, sich etwas besser zu betragen und anderen Sinnes zu werden«[37].

Aus heutiger Sicht und der Perspektive des Historikers läßt sich die genüßliche Ausführlichkeit, mit der Lyschander und Olearius die Übermacht der dänischen Täter wie auch besonders den verzweifelten Widerstand ihrer grönländischen Opfer beschreiben, kaum entschuldigen. Auch wenn man berücksichtigt, daß Aufruhr, Verbrechen und zum Beispiel

---

archivalischen Funden geht hervor, daß Huitfelt auch seine Ausgaben für die ärztliche Behandlung des widerspenstigen Grönländers ersetzt bekommen hat (Bertelsen 1945, S. 11).

37 Lyschander 238, Verse 4015–4037.

Hexerei zu dieser Zeit in Europa auf ähnlich brutale und gewaltsame Weise verfolgt und vor den Augen aller Öffentlichkeit bestraft und gerächt wurden, fällt es schwer, die Selbstverständlichkeit zu akzeptieren, mit der die Grönländer so brutal und unmenschlich behandelt und beschrieben wurden, nur weil sie sich erdreisteten, jenseits der Reichweite und Gewalt der imperialen Übermacht geboren zu sein und verbleiben zu wollen.

Für Lyschander, Olearius und ihre zeitgenössischen Leser jedoch hat eine etwas andere Perspektive gegolten. Denn ihnen ging es offenbar in erster Linie um den Kontrast zwischen dem unüberwindlichen Widerwillen der »Wilden« bei ihrer Gefangennahme auf der einen Seite und dem so überaus zahmen und willfährigen Verhalten auf der anderen Seite, das sie an den Tag legen sollten, sobald sie im Zentrum der Macht, in der Hauptstadt des Reiches und am königlichen Hofe, angelangt waren. Die blutigen und gewaltsamen Szenen zu Beginn der umgekehrten Entdeckungsreisen haben ihre Entsprechung in den überaus friedfertigen und zivilisierten Szenen zum Schluß, dem öffentlichen Auftritt und der Zurschaustellung der nunmehr unterworfenen und bezwungenen »Wilden«. Je größer der Widerstand, desto eindrücklicher die Macht, die ihn zu überwinden vermag. Olearius, Lyschander und ihre zeitgenösssichen Leser haben das Schicksal der entführten Grönländer in erster Linie als leibhaftigen und lebendigen Beweis der Allmacht des dänischen Monarchen verstanden. Die Gewalt, die zur Überwindung und Unterwerfung der Grönländer notwendig gewesen sein soll, entspricht der Nachdrücklichkeit, mit der sich die Zuschauer durch die harmlosen und unterhaltsamen öffentlichen Auftritte und *performances* der Gezähmten haben beeindrucken lassen.

Verglichen mit der Aufmerksamkeit, mit der Olearius ihre Gefangennahme verfolgte, hat er nur wenige Worte auf den Auftritt der Grönländerinnen vor dem dänischen König in Flensburg verwendet, genug jedoch, um den soeben genannten Kontrast deutlich hervortreten zu lassen:

»Als zu Flensburg für I. Kön. May. ein Ballet gespielet worden / haben diese Grünländerinne eine eigene Entrée gehabt / da sie sich nach ihrer art gar wol zu schicken gewußt: Und hat mans ihnen so seltzam nicht vorgemachet / sie habens können nachthun. Wenn sie sonst nach ihrer Landes art dantzen / krummen sie sich als ein Fidelboge / hüpffen nach der Seiten hin und her / und schlagen die Hände / daß flache in die Höhe gekehret / wechsels weise über ein ander. Ob sie nun wol solche und andere Dinge gerne nachthun wollen / sie doch nicht gerne an das Sprache lernen / können doch alles / was man ihnen vorsaget / verstendlich nachreden«[38].

Etwas eindrücklicher ist Lyschanders Bericht über die Ankunft der Grönlander geraten, die fast fünfzig Jahre zuvor nach Kopenhagen gebracht worden waren. In seiner Schilderung der Landung des ersten der drei 1605 ausgesandten Schiffe schreibt er:

»Doch war uns ein Schicksal beschieden so mild, daß Schiff und Mannschaft wieder hierher geführt worden und hier nun gelandet sind. Und wir haben sowohl Kundschaft als Zeichen, daß sich dort sowohl Waren wie Leute aus dem Lande [aus Grönland] befinden. Der König stand auf und war glücklich und froh, es gelüstete ihn, zum Strand zu gehen und seine fremden Gäste zu schauen. Er nahm die Königin bei seiner Hand und segelte vom Land aus zu dem Schiff, um zu sehen, was dort zum besten geboten. Sein Hof folgte nach mit den Bürgern der Stadt, so viele und so dicht beieinander wie Staub im Sonnenstrahl, in Ruderbooten und anderen kleinen Schiffen. Sie versammelten sich um die Stelle herum, die Grönländer kamen her-

38 Olearius 1656, S. 175.

bei und sahen in jeder Weise mißmutig aus. Klein und dick mit bleichem Kinn, die Kleidung aus grauem Seehundefell, mit Hüten und Seitenschürzen. Ihr Haar war schwarz, die Beine kurz, ihre Hemden aus Darmhaut und Sehnen gemacht, so dreckig und alle so rot. Man setzte ihre Boote ins Wasser, die waren aus starkem Seehundfell gemacht, so lang und ganz schmal. Sie stiegen hinein und nahmen das Ruder zur Hand und ließen dort sehen für den König und Jedermann, was sie in Grönland erlernt. (...) Dort konnte man sehen, wie ein armer Mann sich helfen kann mit eigener Hand, aber eigen ist ihm nicht viel«[39].

Als die zwei anderen Schiffe unter dem Kommando von Cunningham und Hull zwei Wochen später mit drei weiteren Grönländern einliefen, fand abermals ein bemerkenswertes Schauspiel statt, das Lyschander ebenfalls beschrieben hat. Auf ein Kommando mit Zeichen und Worten, so Lyschander,

> »traten hervor und kamen in Reihe, drei junge Gesellen (...) hielten sich bescheiden und still. (...) Sie nickten und machten Zeichen mit Hand und Fuß, wenn jemand zu ihnen sprechen wollte, und äußerten und sprachen mit klarer Stimme alles, was ihre Meinung und ihr Willen war, und alles, was man ihnen befehlen wollte. Sie nannten einander klar und deutlich, *Oxa*, *Judecha* und wie sie hießen, mehr konnte man nicht begreifen, aber doch merken von Gesten und Zeichen, von Blicken und Nicken und ähnlichen anderen Zeichen, was sie gerne zur Kenntnis geben wollten«[40].

Im Vergleich zu der Kraftentfaltung, mit der dieselben Grönländer sich wenige Wochen zuvor ihrer Gefangennahme zu

---

39 Lyschander 231, Verse 3774ff. Siehe auch Bertelsen 1945, S. 10.
40 Lyschander 239, Verse 4086ff.

widersetzen versuchten, nimmt sich diese Szene gespenstisch aus: Deutlicher als bei Lyschander läßt sich das magische Zähmungsvermögen der menschenraubenden imperialen Gewalt kaum veranschaulichen.

Olearius' drei grönländische Frauen haben sich 1654 dazu bewegen lassen, vor Friedrich III. in Flensburg als Ballettänzerinnen aufzutreten. Die Grönländer, die 1606 von Godske Lindenov mitgebracht worden waren, hatten einen ähnlichen Auftritt vor dessen Vorgänger, Christian IV., in Kopenhagen. Anläßlich des Besuches eines spanischen Gesandten mußten sie sich von Kopf bis Fuß in die Gewänder des europäischen Adels einkleiden lassen, einschließlich der mit Straußenfedern geschmückten Hüte[41].

Auch in ihrer Schilderung der dritten und letzten Phase der umgekehrten Entdeckungsreisen der geraubten Grönländer stimmen Olearius und Lyschander miteinander überein. Beide berichten ihren Lesern, wie die Sehnsucht nach der Heimat, das »Heimweh«[42] der Grönländer, sie dazu brachte, Fluchtversuche anzustellen, um wieder zu den Ihren zurückzugelangen. Auch bei diesem Thema scheint sich zwischen der Veröffentlichung von Lyschanders Reimchronik 1608 und der zweiten Auflage von Olearius' russisch-persischer Reisebeschreibung 1656 nicht viel geändert zu haben. Bei Olearius heißt es:

> »Aber die Liebe zu ihrem Vaterlande gegen welches sie sich zum offteren seuffzend gekehret / hat etliche eine gefährliche Sache anzugehen erkühnet / in dem sie / weil ihnen aus und einzugehen Freyheit verstattet wurde / bey nachlässiger Auffsicht / ihrer Böthe (welche klein / nur zu einer Person bequem / und jegliches

---

41 Lyschander 242, Verse 4187ff.; siehe auch Bertelsen 1945, S. 13.

42 Zur Geschichte und Begriffsgeschichte von »Heimweh« und »Nostalgie«, die mit Johannes Hofers Abhandlung *Dissertatio Medica de Nostalgia, oder Heimwehe* (Basel 1688) ihren Anfang nimmt, siehe Harbsmeier 1989 oder, noch besser, Prete 1992.

von einem kan getragen werden) sich bemächtiget / und darmit zur See gangen / in willens ihr Land durch so fernen Weg wieder zuerreichen: Seynd aber 10. Meilen vom Sund durch Ungewitter an Schonen angeschlagen / von den Bauren ergriffen / und wieder nach Kopenhagen gebracht worden. Zwene aus diesen Schiffbruch erlittenen / haben es doch gleichwol zum andernmahl gewaget / ihre Rajakka (so nennen sie ihre kleine Böthe) hinaus partiret / etliche Meilen in die See gegangen / deren einen sie wieder zurück geholet / der ander war schon allzu weit voraus und darvon. Die übrigen seynd etliche biß ins 12. Jahr geblieben / aber immer trawrig gangen / und sich endlich einer nach dem andern zu tode gegrämet« (Olearius 1656, S. 166f.).

Nach Lyschander stellte sich bei einem der 1605 entführten Grönländer das Heimweh schon kurz nach der Gefangennahme ein und führte unmittelbar danach zum Selbstmord:

> »Sie ängstigten sich so sehr und kamen von Sinnen, sie achteten weder sich selbst noch sonst irgend etwas, weder ihr Leben noch anderer Schaden. Der eine ließ den Widerstand seines Herzens erkennen und sprang widerspenstig über Bord, um lieber dort zu sterben und umzukommen als in täglicher Sehnsucht fernab der ärmlichen Freunde am Leben zu bleiben und sie niemals wiederzusehen«[43].

Die drei wichtigsten Quellen zu den nach Dänemark verfrachteten Grönländern aus der ersten Hälfte des 17. Jahrhunderts – außer Lyschander und Olearius denke ich hier an Jens Bielkes ›Bericht über Grönland‹, der sich in Form und

---

43 Lyschander 1608, 249, Verse 4461–4469 (Bertelsen 1945, S. 16).

Inhalt kaum von Lyschanders Reimchronik unterscheidet[44] – stimmen der Struktur nach völlig miteinander überein: Die durch die Etablierung friedlicher, wenn auch von gegenseitigem Mißtrauen überschatteter Austauschbeziehungen ermöglichte, dramatische und gewaltsame Gefangennahme bildet den Anfang, die im Kontrast so erstaunlich friedfertigen Szenen der in der Regel königlich überwachten öffentlichen Darbietungen im Kajak, beim Tanz oder in adliger Kleidung die Mitte, Krankheit, Heimweh, Verzweiflung und Tod den tragischen Abschluß und Ausgang der Erzählung. Die umgekehrten Entdeckungsreisen scheinen also einem ganz bestimmten Muster zu folgen: Die Unwiderstehlichkeit der Macht und der Gewalt des Monarchen kommt erstens darin zum Ausdruck, daß sie sich über die Grenzen des Reiches hinaus selbst der wildesten und widerwilligsten Wilden, auch der »Ultima Thule« zu bemächtigen weiß; sie erweist sich zweitens an der Folgsamkeit und Unterwürfigkeit der nunmehr Gezähmten, die sich an dem mimetischen Charakter ihrer öffentlichen *performances* deutlich ablesen läßt; und sie wird drittens und letztens dadurch bestätigt, daß Heimweh und Fluchtversuche ausnahmslos zu einem tödlichen Ende führen.

Die wenigen erhaltenen Quellen erlauben keine detailliertere Analyse der Symbole, Bedeutungen und Konnotationen, die während der zentralen Phase dieser umgekehrten Entdeckungsreisen – dem spektakulären Auftritt von Repräsentanten jenseits aller politischen Macht vor den Augen des absoluten Herrschers – ins Spiel gebracht werden. Dennoch möchte ich auf der Grundlage des hier vorgestellten Materials behaupten, daß die zeremoniellen Auftritte den zentralen Bestandteil einer spezifisch dänischen Form der Aneignung neuer Welten und der Ausübung kolonialer Macht ausgemacht haben.

---

44 Siehe Bielke 1990 sowie Lundgreen-Nielsen 1989, S. 141–145.

In ihrer vergleichenden Studie der ›Zeremonien der Inbesitznahme in Europas Eroberung der Neuen Welt‹ hat die amerikanische Historikerin Patricia Seed meines Erachtens erfolgreich zu zeigen versucht, daß »bestimmte Reihen von expressiven Handlungen – Zäune errichten, zeremonielle Prozessionen durchführen, die Sterne vermessen« – von zentraler Bedeutung für die Legitimität der europäischen Herrschaftsansprüche über die Neue Welt gewesen sind. Nach Seeds Analyse haben die verschiedenen europäischen Mächte dabei ihre je eigene Form und ihren eigenen Stil entwickelt:

»Die spanischen Autoritäten haben eine rituelle Vorschrift entwickelt, das sogenannte *Requirimiento*, das den Eingeborenen wie eine Kriegserklärung vorgelesen werden sollte. Die Franzosen übten koloniale Macht meistens durch die Inszenierung einer Prozession, eines geordneten Marsches mit Begleitmusik und gelegentlich auch in Kostümen aus (...) Die portugiesischen Könige (...) verlangten anfänglich eine Reihe von Zahlen über die Höhe der Sonne und den Stand der Sterne, um auf dieser Grundlage ein Recht auf das Gebiet aufgrund seiner ›Entdeckung‹ zu beanspruchen. (...) Diese Zahlenwerte konnten nur durch eine wissenschaftliche Technik erlangt werden, eine Aktivität also, deren Gesten und Zeitplan – nur mittags! – ebenso streng kontrolliert waren wie bei jedem anderen Ritual. Holländische Entdecker waren beauftragt, detaillierte Beschreibungen (und Landkarten) der exakten Längen- und Breitengrade zu erarbeiten. Die Engländer etablierten den Kolonialismus in aller Regel durch ganz gewöhnliche Bewegungen statt bewußt inszenierter – einen Graben ausheben, einen Garten anlegen, einen Zaun oder eine Hecke errichten. Besitz zu ergreifen, verlangte bei ihnen kein dramatisch zeremonielles Moment, erforderte aber eine Handlung oder eine Reihe von Handlungen, die von den Engländern als Inbesitznahme gedeutet wurden« (Seed 1995, S. 179).

Verglichen mit den Vorgehensweisen der Spanier, Franzosen, Portugiesen, Holländer und Engländer scheint die dänische Monarchie sich einer weiteren, sechsten Legitimierungstechnik bedient zu haben, deren Zentralzeremonie und -ritual nicht draußen vor Ort, sondern bei Hofe stattzufinden hatten, allerdings nicht ohne gehörig und gewaltsam vorbereitet worden zu sein. Zwar haben auch die Dänen manchmal einen Garten angelegt, einen Zaun errichtet, Beschreibungen und Karten angefertigt und den Stand der Sonne und der Sterne vermessen. Die feierlichen Aufmärsche und Prozessionen aber wurden nicht in Grönland, sondern in der Hauptstadt und in Gegenwart des Königs abgehalten. Obgleich der Anspruch der dänischen Krone auf die Herrschaft über Grönland auf dem Verweis auf die in den isländischen Sagas bezeugte altnordische Besiedlung beruhte, scheint die Beherrschung der heidnischen Eingeborenen hauptsächlich in Gestalt der öffentlich zelebrierten Unterwerfung entführter Grönländer legitimiert und abgesichert worden zu sein. Wenn es, wie Patricia Seed behauptet, spezifisch portugiesische, spanische, holländische, französische und englische Weisen und Stilarten ritueller Inbesitznahme überseeischer Territorien und Untertanen gegeben hat, dann kann man mit Fug und Recht auch von einer typisch dänischen Variante sprechen[45].

Statt über die möglichen Ursachen dieses dänisch-grönländischen Sonderwegs kolonialer Legitimation zu spekulieren – die Enttäuschungen darüber, daß man weder Spuren der altnordischen Vorfahren noch wertvolle Edelmetalle finden konnte, die extremen klimatischen Bedingungen und die damit verbundene reale oder eingebildete Unmöglichkeit der Überwinterung und Niederlassung sowie die wirtschaftlichen Mißerfolge der Expeditionen haben in diesem Zusammenhang sicher eine nicht unwesentliche Rolle gespielt –, möchte ich im Folgenden näher untersuchen, wie sich die unter Christian IV. aufgekommene Tradition im 18. Jahrhun-

45 Wobei allerdings hinzugefügt werden sollte, daß bezüglich Dänemarks nur auf eine eher bescheidene Anzahl von Fällen verwiesen werden kann. Inwieweit eine ähnliche Politik in anderen dänischen Kolonien verfolgt worden ist, wäre noch zu ermitteln.

dert radikal verändert hat, aber auch weiterentwickelt worden ist.

Die bevorstehende Änderung deutet sich allerdings schon Ende des 17. Jahrhunderts an. In dem ›Vorschlag zur Besegelung Grönlands‹, den der königliche Historiograf Thormod Torfæus 1683 dem dänischen König unterbreitet hat, ist erstmals eine Lehre aus den Erfahrungen der Expeditionen des frühen 17. Jahrhunderts gezogen worden:

> »Mir scheint, daß es nicht ratsam ist, einzelne Grönländer gefangenzunehmen und zu entführen. Ich halte im Gegenteil dafür, daß dies einer der größten Fehler war, die vorgekommen sind. In erster Linie weil dieses Vorgehen keinen Nutzen herbeigeführt hat, so wie wenn man junge Kinder ihre Sprache hätte lernen lassen oder aber die Grönländer unsere Sprache und Sitten hätte erlernen lassen, um sie danach wieder in ihr Land zu geleiten, damit sie ihre Landsleute über die Gutmütigkeit und Frommheit dieser Nationen [also der europäischen; M. H.] ihnen gegenüber informieren und sie auch über die hiesige Herrlichkeit im Vergleich zu ihrem Land unterrichten könnten. Aber das Volk in Grönland ist fremden Nationen gegenüber scheu und furchtsam geworden, weil das Gerücht und die Nachrede zu ihren Kindern und Kindeskindern übergeht, daß sie, wenn sie mit ihren Schiffen anlanden, entweder rauben, totschlagen oder aber ihre Leute aus dem Land entführen wollen«[46].

46 Zitiert nach Bobé 1936, 3, S. 23. Als eine Art Auftakt zu den dänisch-norwegischen Bemühungen um Grönland im 18. Jahrhundert kann Peder Hansens Resens 1687 als Handschrift angefertigte systematische Beschreibung Grönlands in lateinischer Sprache gelten. Siehe hierzu Resen 1987.

In der Geschichte der dänisch-grönländischen Beziehungen spielt das Jahr 1721 eine entscheidende Rolle. Mit der Ankunft des »grönländischen Apostels«, des in Norwegen geborenen und aufgewachsenen Hans Egede (1686–1758) mit Frau und Kindern, und damit dem Beginn der modernen dänischen Besiedlung und Kolonisierung Grönlands hat sich scheinbar alles geändert. Hans Egedes lutheranisches Selbstverständnis, sein missionarischer Eifer und der seiner Söhne und anderen Nachfolger, die im Vergleich mit ihren Vorgängern bemerkenswert einfühlsame Neugier und Sympathie gegenüber den heidnischen Grönländern, die Einführung kontinuierlicher Handels- und Austauschbeziehungen sowie natürlich die permanente dänische Anwesenheit auch über den Sommer hinaus: all dies und vieles mehr haben dazu beigetragen, daß die Dänen von nun an scheinbar völlig andere Mittel und Wege finden mußten, um ihre koloniale Herrschaft fortzusetzen und zu vertiefen. Die herrnhutische Mission, die zehn Jahre später ihren Anfang nahm, hat ebenfalls einen radikalen Bruch in den Beziehungen zwischen Grönländern und Europäern herbeigeführt. Trotz gelegentlicher Auseinandersetzungen und Konflikte haben beide Missionen in vielerlei Hinsicht in dieselbe Richtung gewirkt. In den Händen der professionellen Missionare entwickelte sich das Geschäft mit der Beschreibung, Darstellung, Analyse und Aneignung Grönlands sowie der Grönländer im frühen 18. Jahrhundert zu einer gänzlich anderen Angelegenheit.

Die Bedingungen, unter denen eingeborene Grönländer nunmehr freiwillig nach Dänemark gelangten, lassen sich aufgrund all dieser Veränderungen kaum noch wiedererkennen. Wir wollen hier dennoch den umgekehrten Entdeckungsreisenden folgen, die wie im vorhergehenden Jahrhundert auf dänischen Schiffen nach Kopenhagen gebracht wurden, um dort vor dem König und seinem Gefolge sowie vor dem allgemeinen Publikum aufzutreten und schließlich, von Heimweh geplagt und oft nach vergeblichen Fluchtversuchen, noch vor ihrer Heimkehr an den ihnen ungewohnten Krankheiten zu sterben, die wohl auch ihre Vorgänger das Leben gekostet hatten. Wir beabsichtigen dabei, der Kontinuität auf die Spur zu kommen, die sich trotz aller Brüche und Veränderungen in der Interaktion zwischen Dänen und Grönländern über die Jahrhunderte hinweg erhalten hat.

Die ersten Grönländer aus der neugegründeten dänischen Kolonie und Missionsstation kamen im Oktober 1724 in Dänemark an[47]. Zwei junge Männer, Pooq (der später auf den Namen Christian getauft werden sollte) und Qiperoq, waren von Hans Egede dazu überredet worden, die dänische Hauptstadt zu besuchen und dem König ihre Reverenz zu erweisen. Hans Egede verfolgte damit die Absicht, dem Gesuch der in Bergen ansässigen neugegründeten Grönländischen Kompanie und ihres Direktors um Unterstüzung durch König Friedrich IV. größeren Nachdruck zu verleihen. Nach der Abreise aus der von Hans Egede gegründeten Kolonie *Haabets Ø* (der »Insel der Hoffnung«) mit dem Schiff *Cronprintz Christian* im August und nach einer Zwischenlandung in Bergen kamen die beiden mit ihren Begleitern in der Nacht zum 11. Oktober in Helsingör in Nordeeland an. Am Tag darauf wurden sie in aller Frühe zum nahe gelegenen Schloß Fredensborg eingeladen, um an der Geburtstagsfeier des Königs teilzunehmen. Zwei Wochen später wurden sie aus Anlaß des Geburtstags eines Prinzen abermals zum Schloß beordert, und diesmal »wollte der König sich nicht damit begnügen, die Grönländer nur anzuschauen«, sondern verlangte auch, »daß sie ihre Künste demonstrieren« sollten. Also begaben sich die zwei Grönländer in ihre Kajaks auf dem See Esrom beim Schloßpark und fingen an, die

---

47 Zu Pooq und Qiperoq, deren Namen übrigens oft anders buchstabiert werden (Pok, Pook, Qiperok, Kiperoq etc.), gibt es auf dänisch (und grönländisch) eine überaus reiche Literatur. Neuere Studien wiederholen allerdings meist nur ihre Vorgänger. Siehe Bobé 1927, S. 8–19; Balle 1929, 1953 und 1964 sowie schließlich auch den Roman von Palle Petersen 1996.

> »Künste ihres Landes zu praktizieren, sowohl mit dem Rudern in ihren grönländischen Booten sowie mit dem Schießen und Werfen ihrer Wurfspieße nach den Enten, die für sie in dem See (...) ausgesetzt worden waren, und indem sie mit nur einem Ruder miteinander um die Wette ruderten und auch indem sie sich von der einen auf die andere Seite rollten mit dem Kopf und dem halbem Körper unter Wasser und dem Kiel ihrer Seehundfellschiffe in der Höhe, um dennoch mit Hilfe ihres kleinen Ruders auf der anderen Seite wieder hervorzukommen, worin sie große Behendigkeit bewiesen«[48].

Dieser Auftritt muß auf königliches Wohlgefallen gestoßen sein. Am 9. November, nachmittags von zwei bis fünf, wurde die bisher größte grönländische Kolonialschau auf den Kanälen im Zentrum der Hauptstadt abgehalten. Inmitten einer Regatta von Ruderbooten und Segelschiffen, auf deren Deck verschiedene Orchester spielten und an deren Masten eine Menge von Fahnen und Wimpeln und Eisbärenfelle sowie riesige Schaubilder von Walfischen und Walrossen befestigt waren, führten Pooq und Qiperoq abermals zur Freude des begeisterten Publikums ihre Künste vor, indem sie sich mit nur einem Ruder in ihrem Kajak um die eigene Achse drehten und wiederum zu eben diesem Zwecke ausgesetzte Gänse und Enten mit dem Wurfspieß erlegten. Louis Bobé hat dieses spektakuläre Schauspiel anhand der Quellen wie folgt rekonstruiert:

»Zuvorderst kam eine Schaluppe, die das Fahrwasser freihalten sollte, danach ein Boot mit Hornisten, Paukenspielern und Trompetern, die, wenn sie einhalten oder weiterrudern sollten, ein Signal von der nachfolgenden Schaluppe erhielten, auf der unter einem Baldachin die Admirale Ole Judichær, Refdahl und Jentoft, der als Dolmetscher für die Grönländer fungierte, saßen. Danach folgte eine lange Scha-

48 Zitiert nach Bertelsen 1945, S. 28.

luppe mit einem Klavier und einigen Hofviolinen, die den Hofkantor Jens Ibsen bei seinem Vortrag zweier Arien vor dem Schloß und zweier weiterer vor dem Palais des Kronprinzen begleiten sollten. Nun kamen die Hauptpersonen im Aufzug, Pooq und Qiperoq im Kajak, nebeneinander rudernd und ihre Wurfpfeile auf recht weiten Abstand nach im Kanal ausgesetzten Enten werfend. Als Ordonnanzen für den Admiral folgten zwei Ruderer jeweils in ihren norwegischen Jollen, die auch, wenn vonnöten, den Grönländern beistehen sollten. Der Aufzug schloß ab mit sechs großen Schaluppen, die grönländische Produkte zur Schau stellten. Die erste hatte am Vordermast ein Segeltuch mit dem grönländischen Wappen, dem Eisbären mit der Königskrone, flankiert von zwei wilden Männern und einem Eisbärenfell. In der zweiten Schaluppe waren am Hintermast zwei Rentierfelle ausgespannt, eines mit Pelz und ein gegerbtes, sowie ein Bündel schwarzer Fuchspelze aufgehängt. Die dritte Schaluppe trug am Vordermast an einer Querstange ein Walroßfell und ein paar Walbarte sowie auf dem Rückmast ein einen Walfischfang darstellendes Gemälde. Die vierte war mit einem großen Narwalzahn und einem Gemälde geschmückt, das oben einen Narwal, unten ein Walroß abbildete. Die fünfte trug auf ihren Masten einerseits zwei große, gegerbte Robbenfelle und andererseits ein Prospekt mit einem Lachs und einem Dorsch. Die letzte Schaluppe war die größte, reichlich mit Fahnen und Wimpeln geschmückt, und hatte sechs Kanonen an Bord, die auf ein Signal des Admirals je dreimal vor dem Schloß, vor dem Kronprinzenpalais und bei Abschluß des Aufzugs mit losem Pulver abgefeuert wurden«[49].

---

49 Bobé 1927, S. 11–13. Interessant wäre auch ein Vergleich mit späteren Eskimo-Shows in rein kommerzieller Regie wie zum Beispiel in Wien fast genau hundert Jahre später: »Mit hoher obrigkeitlicher Bewilligung wird Donnerstag den 4. August 1825 im k. k. oberen Belvedere am Rennweg ein äußerst interessantes und hier noch nie gesehenes Schauspiel stattfinden. Der Esqimaux-Indianer aus der Baffins-Bay am Nordpol, welcher nebst seinem Weibe bey einem

Nach diesem großen Schauspiel traten sie am 3. Dezember die Heimreise an, die sie zunächst nur zurück nach Bergen führte, wo Qiperoq im Februar starb, während Pooq der erste Grönländer sein sollte, der lebendigen Leibes wieder nach Grönland zurückkehren konnte, wo er im Frühjahr anlangte.

Die erste Wiederaufnahme der traditionellen Zurschaustellung nunmehr freiwilliger grönländischer Besucher unter Friedrich IV. scheint ein Erfolg gewesen zu sein. Nur vier Jahre später kamen vier weitere Grönländer nach Kopenhagen, diesmal in Begleitung von Paul Egede, Hans Egedes ältestem Sohn[50]. Pooq, der in der Zwischenzeit auf den Namen Christian getauft worden war, war abermals mit dabei, ebenso seine Frau Christina mit zwei weiteren getauften und bekehrten jungen Grönländern namens Carl Daniel und Sophia Magdalena. Schon am Tage nach ihrer Ankunft am 2. Oktober 1728 wurde auch diese Gruppe zum Schloß in der Hauptstadt gebeten, und da man sich per Schiff auf den Kanälen dorthin begab, ließen Pooq und Carl Daniel sich ein weiteres Mal in ihren Seehundfellschiffen von zahlreichen Zuschauern bewundern. Und in den Wochen danach standen die Grönländer ebenfalls dem allgemeinen Publikum zur Verfü-

---

hohen Adel und verehrungswürdigen Publikum so viele Bewunderung erregt hat, wird seine außerordentliche Fertigkeit im Rudern sowohl, als auch in der Jagd mit dem Wurfspieße im dortigen großen Bassin auf dem Wasser zu zeigen die Ehre haben, indem er auf seinem kaum 20 Pfund schweren Canot (Kahn), mit welchem er öfters umschlägt und unter das Wasser tauchet, auch lebendige Gänse mit der größten Sicherheit mit dem Wurfspieße erlegen wird. In der Zwischenzeit wird mit Harmonie-Musik abgewechselt werden« (zitiert nach Goldmann 1985, S. 254). Zur späteren Geschichte der »Völkerschauen« siehe Goldmann 1985 and Corbey 1993. Eine ausgezeichnete Fallstudie bietet Hansen 1996. Eine der wenigen Beschreibungen einer solchen Völkerschau aus der Sicht eines der Ausgestellten entstammt einem herrnhutischen Kontext. Siehe hierzu Thode-Arora 1991.

50 Der Name Paul Egedes wird in den Quellen oft Poul Egede geschrieben.

gung. Ihr Patron und Begleiter Paul Egede hat dies mit folgenden Worten beschrieben:

> »Den nächsten und die folgenden Tage kam fast die ganze Stadt zu uns, um diese neuen Menschen zu sehen. Schließlich wurden sie es leid, sich beschauen zu lassen, und als sie merkten, daß der Pförtner Geld dafür nahm, die Leute hereinzulassen, meinten sie, daß ihnen, die sich betrachten lassen sollten, das Geld zukäme und nicht ihm, der sie beschauen ließ. Sie müßten auch, so sagten sie, etwas dafür erhalten, daß sie so oft hören mußten, daß sie nicht schön seien; denn in diesem fremden Land herrsche offenbar eine andere Sitte als bei ihnen. Denn dort rufen die kleinen, jungen Mädchen durch eine Öffnung in den Fenstern den anderen zu, die sie bei Namen nennen: ›Pinnagarit: du bist hübsch‹. Der andere antwortet von drinnen: ›iserit, komm herein‹, ›akillissaunga, ich bezahle‹, und dieses Geschenk besteht in ein paar Nähnadeln oder einigen kleinen Perlen. Hier aber heißt es jeden Tag: ›pinneekautit, du bist häßlich‹, und um zu uns hereinzukommen, wird dem Pförtner Geld gegeben, das eigentlich wir für unsere Häßlichkeit erhalten sollten, alldieweil man bei euch so selten häßliche Menschen zu sehen bekommt«[51].

Auch diese Gruppe von Grönländern setzte mit ihrer Reise nach Dänemark ihr Leben aufs Spiel. Noch vor ihrer geplanten Heimreise starben sie alle an den Pocken: Sophia Magdalena schon am 12. April, Pooq (Christian) auf seiner zweiten Reise am 1. Mai, während seine Frau, ihre gemeinsame kleine Tochter und Carl Daniel noch bis Mitte Mai 1729 überlebten[52].

---

51 Paul Egede 1988, S. 41. Siehe auch Text II.
52 Bertelsen 1945, S. 41.

Als Christian VI. 1731 Krone und Thron übernahm, war er nicht willens, die kostspielige Kolonialpolitik seines Vorgängers unverändert weiterzuführen. Folglich erhielten die dänischen Missionare und Kaufleute den Bescheid, wieder nach Hause zurückzukehren – und mit ihnen gelangte abermals eine gewisse Anzahl Grönländer nach Kopenhagen. Hans Egede, der sich entschieden hatte, trotz des Wegfalls königlicher Unterstützung in Godthaab auszuharren, protestierte zwar aufgrund der tragischen Todesfälle zwei Jahre zuvor, aber Claus Paars und andere ließen sich dennoch nicht daran hindern, ihre grönländischen Bediensteten mit nach Dänemark zu nehmen. Zwei von ihnen, Claus Paars' junger Diener Friedrich Carl und Anna Sophia Magdalena, wurden am königlichen Hof aus Anlaß des Geburtstags der Königin am 28. November 1731 vorgestellt, ausstaffiert mit feinster Adelskleidung, diesmal aber unter Ausschluß der Öffentlichkeit.

Am 30. April des folgenden Jahres wurde von Christian VI., der mittlerweile eine positivere Haltung zu Handel und Mission eingenommen hatte, ein Erlaß verfügt, daß nunmehr keine Grönländer mehr nach Dänemark gebracht werden dürften, es sei denn auf ausdrückliches Verlangen des Königs[53]. Dieser Eingriff kam jedoch zu spät und konnte die Tragödie nicht mehr verhindern: Vier der 1731 angekommenen Grönländer starben, vermutlich an Pocken, schon im September und frühen Oktober. Und von den zwei letzten, die im Frühjahr 1733 wieder nach Grönland zurückgeschickt wurden, überlebte nur einer die Heimreise. Hans Egede, der den jungen Mann in Godthaab in Empfang nahm, mußte später erkennen, daß gerade dieser Heimkehrer vermutlich die

53 Der Erlaß geht auf eine Empfehlung des Generalkommissariats der Seefahrt vom 21. April 1732 zurück, der von Christian VI. am 30. April mit dem ausdrücklichen Vermerk approbiert worden ist, daß »nunmehr keine eingeborenen Grönländer mehr nach Unserem speziellen Befehl hier ins Land gebracht und mit Schiffen hierhergeführt werden« dürfen. Siehe hierzu Bobé 1936, 3, S. 213f.

Epidemie ausgelöst hatte, die zum Tod fast der Hälfte der der Kolonie zugehörenden Grönländer führen sollte. Der Junge selbst verschied am 4. September 1733 in Godthaab.

Der erste Grönländer, dem trotz seiner Reise nach Dänemark noch ein langes Leben in Grönland beschieden war, hieß Puungujooq (er wurde später auf den Namen Hans getauft). Er wurde, da er vermutlich aufgrund der Epidemie in Godthaab immun geworden war, 1738 von Paul Egede nach Kopenhagen geschickt, um ihm später bei seinen linguistischen Studien als Assistent und Informant behilflich zu sein. Puungujooq wurde nicht vom König empfangen und kehrte bei guter Gesundheit im Juni des nächsten Jahres wieder nach Grönland zurück. Durch diese Erfahrung ermuntert, überredete Paul Egede 1740 abermals zwei Grönländer, ihn zu begleiten, als er aus Gesundheitsgründen Grönland verlassen mußte. Arnarsaaq, eine junge Frau, und der nur zehn Jahre alte Junge Tullimak wurden am 24. Dezember 1740 von Christian VI. offiziell in Empfang genommen und kehrten 1741 wieder nach Grönland zurück. Noch weniger wissen die Quellen von den fünf Grönländern zu berichten, die 1746 mit dem Missionar Sylow nach dessen Pensionierung nach Dänemark kamen[54]. Weder sie noch Okako, der auf eigenen Wunsch Kopenhagen 1776 besuchte[55], wurden bei Hof vorstellig oder dazu gebracht, öffentlich aufzutreten.

Grönländer in Herrnhut

Wie wir noch sehen werden, stammen bei weitem die meisten und besten Informationen über die Grönländer, die während des 18. Jahrhunderts Kopenhagen und Dänemark besuchen und erkunden konnten, aus der Feder der dänischen Missionare, die manchmal mit der Unterstützung

---

54 Siehe hierzu Gad II, S. 352f.

55 Siehe Text VII.

kommerzieller Interessenten direkt für den gesamten Verkehr der umgekehrten Entdeckungsreisenden als Begleiter und Beschützer verantwortlich waren. Die herrnhutische Mission, die mit der Unterstützung Christians VI. 1733 ihre eigene Kolonie unweit von Godthaab aufgebaut hatte, ging in vielem ihre eigenen Wege[56]. Für die Entstehung der herrnhutischen Grönlandmission scheint jedoch die dänische Tradition des spektakulären Vorzeigens geraubter oder kürzlich bekehrter Heiden ebenfalls eine entscheidende Rolle gespielt zu haben. Als Graf Zinzendorf, der damalige geistliche und organisatorische Führer der Brüdergemeinde, 1731 als Gast an der Feier der Krönung Christians VI. teilnahm, scheint ihn die Anwesenheit einer Gruppe von Grönländern und eines schwarzafrikanischen Sklaven aus Dänisch-Westindien tief beeindruckt zu haben. Nach der Darstellung von David Cranz, dem offiziellen Historiographen der Brüdergemeinde im allgemeinen und ihrer Grönlandmission insonderheit, war Zinzendorfs Begegnung mit diesen neubekehrten Heiden aus den dänischen Kolonien die wahre Geburtsstunde der herrnhutischen Heiden- und Grönlandmission[57]. Oder mit den Worten eines modernen Kenners der herrnhutischen Grönlandsmission:

»Die Grönland-Mission der Herrnhuter zählt zwar zu deren ältesten Unternehmungen, war jedoch nicht die erste. Den Anstoß erhielt Zinzendorf 1731 während seiner Teilnahme an der Krönungsfeier für Christian VI. in Kopenhagen. Dort war er mit Grönländern und einem in dänischen Diensten stehenden Nachkommen westindischer Negersklaven zusammengetroffen. Als jener ›Kammermohr‹ Anton Ulrich im Juli 1731 selbst nach Herrnhut kam und vor der Gemeinde über seine Heimat berichtete, hatten dieser Besuch und

---

56 Siehe hierzu Israel 1969 mit vielen weiteren Literaturhinweisen. Eine vorzügliche Einführung aus ethnologiegeschichtlicher Sicht, aber westindischer Perspektive findet sich bei Rupp-Eisenreich 1985.

57 Cranz 1765, Bd. I, S. 405–407; 1772, S. 186–188.

Zinzendorfs eigener Bericht zur Folge, daß mehrere Herrnhuter Brüder baten, als Missionare ausgeschickt zu werden«[58].

Obwohl die ihnen gewährte Unterstützung durch den dänischen König weniger direkt war als diejenige, die Hans Egede anfangs zugute kam, sind die Herrnhuter Brüder dem dänischen Vorbild durchaus gefolgt. So wurden im Jahre 1747 fünf »Eskimos« – ein Paar namens Simon Arbalik und Sarah Pussimek, deren unverheiratete Schwester Judith Essek und die zwei jungen Männer Matthäus Kajarnak und Angsinak – von dem Missionar Matthäus Stach aus Grönland bis zum Hauptsitz der Brüdergemeinde in Herrnhut in Sachsen begleitet, wo sie auch mehrmals von Johan Valentin Haidt abgebildet worden sind[59]. Simon Arbalik und Sarah Pussimek starben im Januar beziehungsweise Mai 1748 in Herrnhut, wo sie auf dem herrnhutischen Gottesacker beigesetzt wurden[60]. Im folgenden Herbst begab sich Matthäus Stach mit den verbliebenen Grönländern auf den Weg nach Holland, um – mit Erfolg – eine Möglichkeit für ihre Rückkehr nach Grönland ausfindig zu machen. Im Gegensatz zu den wenig früher nach Europa gereisten staatslutheranisch-dänischen Grönländern wurden Stachs Schützlingen die Erniedrigungen erspart, die unweigerlich mit einem öffentli-

---

58 Israel 1969, S. 15. Dies zeigt sich an dem herrnhutischen Interesse an »Erstlingen«: »Entsprechend der Anschauung des Grafen Nikolaus Ludwig v. Zinzendorf (...) waren die ersten Brüdermissionare in die Ferne gezogen, nicht um Massenbekehrungen zum Christentum durchzuführen, sondern um unter den Völkern, unter denen sie Fuß gefaßt hatten, ›Erstlinge‹ zu sammeln. Diese Erstlinge, die erstgetauften Vertreter aus den verschiedenen Missionsgebieten, wurden auf großen Gemälden mit Christus als Zentralperson in mehreren, voneinander abweichenden Versionen dargestellt« (Israel 1965, S. 37).

59 Cranz 1765, S. 673–677. Eine auf allen zugänglichen Quellen basierende Rekonstruktion der Europareise von Stachs Schützlingen hat Heinz Israel erarbeitet (Israel 1965, S. 45–52).

60 Ihre Grabsteine stehen dort noch heute (Israel 1965, Abb. 14, 15).

chen Auftritt verbunden gewesen wären[61]. Stach tat auf der Reise durch Deutschland im Gegenteil sein Bestes, um die »wilde« Herkunft seiner Zöglinge zu verschleiern:

> »Die zween Knaben thaten die Hin- und Herreise durch Teutschland zu Fuß, und niemand, der es nicht wusste, konte errathen, daß sie aus den Wilden wären. Man sucht auch alles Aufsehen mit ihnen zu vermeiden, welches zwar vielen zum Wunder, ihnen selbst aber zum Schaden hätte gereichen können«[62].

Trotz aller Bemühungen konnte aber auch der Missionar Stach der Versuchung nicht widerstehen, aus der Herkunft der ihm anvertrauten Grönländer Kapital zu schlagen. Bei besonderer Gelegenheit wurde das – wie wir heute sagen würden – »ethnische« Inkognito der Grönländer dann doch aufgegeben:

> »Nur die Durchlauchtige Herrschaft in Gotha, die etwas von ihnen vernommen, ließ sich dieselben bey ihrer Durchreise präsentiren; und das war die Gelegenheit, daß sie auch dem itzt regierenden König von Groß-Britannien und den übrigen Prinzen und Prinzessinnen des Hochseligen Prinzen von Wales in Leicester-House präsentirt werden mußten«[63].

Die herrnhutische Skepsis gegenüber der früheren dänischen Praxis des öffentlichen Vorzeigens und Ausstellens geht noch deutlicher aus einer anderen Episode hervor, an

---

61 Allerdings wurde es Simon Arbalik nicht erspart, vor der versammelten Gemeinde im Kajak aufzutreten: »Heute fuhr der Br. Simon in seiner Cajack hier auf dem Wasser herum unter Zuschauen aller Geschwister; wir hatten auch eine Ente aufm Wasser, welchen er mit seinem Pfeil mit großer accuratesse warf«, heißt es in einem Zeister Tagebuch unter dem 12. August 1747 (Israel 1965, S. 46).

62 Cranz 1765, S. 674.

63 Ebd., S. 674f.

Abb. 3: Auch in den Herrnhuter Gemeinden bestand ein lebhaftes ethnographisches Interesse an der Lebensweise der Grönländer.

der sich auch einige der Gründe für diese Zurückhaltung ablesen lassen. Die Ereignisse fanden 1753 statt und sind von David Cranz mit folgenden Worten beschrieben worden:

> »Indessen wurde der Mann von einem holländischen Wallfischfänger zu einer Reise nach Europa beredet, und ließ seine Frau und seine Kinder den Brüdern, bis zu seiner Wiederkunft, zur Versorgung empfehlen. Sobald man dieses erfuhr, eilte man zwar, ihn wieder abzuholen, kam aber zu spät. Als dieser Mensch in Holland für Geld gezeigt wurde, wolten einige Freunde aus seinem bezeigen schliessen, daß er von den Brüdern getauft worden, und etwa mit List oder Gewalt entführt worden. Die Umstände, wie sie dieses entdeckten, verdienen etwas ausführlicher angemerkt zu werden. Sie nannten ihm erst die Namen der Mißiona-

rien. Da diese aber bey den Grönländern nur mit dem Tauf-Namen bekannt sind, so verstand er sie nicht. Darauf fing einer an die Melodie des Liedes: Christi Blut und Gerechtigkeit etc. zu singen. Der Grönländer fiel gleich drein und continuirte etliche Verse in dieser Melodie. Um nun auch zu erfahren, ob er von der Teutschen oder Dänischen Mißion sey, schlugen sie die in den gewöhnlichen Gesang-Büchern unbekante Melodie: Einigs Herze, das soll meine Weide, und mein Himmel seyn allhier etc. In derselben Weise sang er auch einige Verse. Indessen hatten sich mehrere Zuschauer versamlet. Zu denen fing der Grönländer an, eine Rede zu halten, davon man zwar nur die Worte, Jesus Christus, verstehen, aus seinen Geberden aber, indem er oft mit einer verächtlichen Miene auf die Sachen im Zimmer zeigte, mit der Hand aufs Herz schlug, und auf die Knie fiel, abnehmen konnte, daß er ihnen die Verachtung der Welt und die Liebe anpreisen wolte, in Meynung, daß er einen Haufen Heiden vor sich hätte. Jedermann war darüber erstaunt. Weil aber darüber ein Gerede in der Stadt entstund, und die Schiffleute befurchten, daß sie zur Rechenschaft gefordert werden möchten, so wurde er wieder aufs Schiff geschafft. Indeßen wurde es dem Mißionario Stach, der sich damals in Herrnhut aufhielt, gemeldet. Dieser eilte zwar nach Amsterdam, um ihn aus der wunderlichen und einer menschlichen Creatur unanständigen Situation loszumachen, kam aber zu spät, indem er schon gestorben und laut eines Zeugnisses von dem Domine auf dem Kirchhofe zu Nieuendam begraben worden«[64].

Matthäus Stach (und David Cranz) beurteilten die öffentliche Zurschaustellung der Grönländer außerhalb der eigenen Gemeinde (und abgesehen von der Präsentation vor besonders

64 Cranz 1770, S. 772–774.

einflußreichen Herrscherpersönlichkeiten) offenbar als unwürdig und erniedrigend. Glücklos in ihrem Bestreben, die holländischen Walfischfänger davon abzuhalten, den Grönländer dazu zu überreden, mit nach Holland zu reisen, befanden sich die Herrnhuter selbst in einer ihnen höchst peinlichen und unangenehmen Situation, als ihnen zu Ohren kam, daß einer »ihrer« Grönländer in Amsterdam einem zahlenden Publikum vorgeführt wurde. Die Gerüchte darüber, daß sich eben dieses Publikum darüber hinaus auch noch anschickte, zu entdecken, daß der angebliche grönländische Heide in Wirklichkeit ein Zögling der Herrnhuter war, ließen Matthäus Stach keine andere Wahl, als sich nach Amsterdam zu begeben, um dem Skandal ein Ende zu bereiten. David Cranz' Wiedergabe dieser Ereignisse läßt keinen Zweifel daran, daß sowohl ihre Freunde in Amsterdam als auch die Herrnhuter Brüder selbst deutlich von der dänischen Praxis, neu bekehrte Heiden der allgemeinen Öffentlichkeit auszuliefern, Abstand genommen haben.

Die unzweideutig negative Herrnhuter Einschätzung der dänischen Vorgehensweise könnte natürlich auch mit dem Zeitpunkt zu tun haben, zu dem David Cranz den dritten Band seiner *Historie von Grönland*, dem wir das Zitat entnommen haben, in den Druck gegeben hat. Zu diesem Zeitpunkt, also um 1770, hatten sich die dänischen Gewohnheiten ebenfalls deutlich gewandelt. Die letzten Grönländer, die vom König empfangen wurden, waren schon 1740 wieder nach Hause zurückgekehrt. Die Gründe aber, die die Dänen dazu bewogen haben mochten, die unter Christian IV. im 16. Jahrhundert begonnene und von Friedrich IV. zu Anfang des 18. Jahrhunderts wieder aufgegriffene Tradition nicht weiter fortzusetzen, scheinen weniger mit der Haltung zusammenzuhängen, die David Cranz in seiner *Historie von Grönland* an den Tag legte, als vielmehr damit, daß scheinbar fast keiner der Grönländer den Aufenthalt in Dänemark zu überleben vermochte. Darüber hinaus bedeutete ja auch ihre steigende Anzahl, daß die späteren Neuzugänge nicht mehr als sensationelle Neuigkeiten gelten konnten.

Außer ihren Auftritten im Kajak und mit dem Wurfspieß vor dem König und seinem Gefolge oder dem allgemeinen Publikum scheinen die freiwilligen grönländischen Besucher Dänemarks zu Anfang des 18. Jahrhunderts wenig mit ihren geraubten und entführten Vorgängern aus der ersten Hälfte des vorangegangenen Jahrhunderts gemein zu haben. Ein genauerer Blick auf die Gemeinsamkeiten und Verschiedenheiten sollte uns zu einem besseren Verständnis der Kontinuitäten verhelfen, die beide Serien als Variationen ein und desselben tieferliegenden Musters erkennen lassen.

Die Berichte des 17. Jahrhunderts, in erster Linie also Lyschanders Reimchronik und Adam Olearius' umständliche historische Berichterstattung sind, wie wir gesehen haben, einem ganz bestimmten dreigliedrigen Modell gefolgt: gewaltsame Gefangennahme in Grönland, friedfertiges Schauspiel in Kopenhagen (oder Flensburg und Gottorp) und schließlich Heimweh, Fluchtversuche und Tod. Die Erzählungen des frühen 18. Jahrhunderts sind diesem Muster aus mehrerlei Gründen nicht unbedingt gefolgt. Zunächst einmal fällt auf, daß die Quellen für diese Periode sehr viel zahlreicher sind und daher eine Mehrzahl von Interpretationen erlauben. Zweitens war es natürlich von entscheidender Bedeutung, daß die Grönländer des frühen 18. Jahrhunderts sich ihren dänischen Beschützern, Begleitern und Mitreisenden freiwillig anvertraut hatten, anstatt von ihnen geraubt, unterworfen und gewaltsam überwältigt worden zu sein. Drittens schließlich steht das in der Regel wie zuvor tragische Lebensende der Grönländer im 18. Jahrhundert in keinem Verhältnis mehr zu einem gewaltsamen Anfang.

Im 18. Jahrhundert galten die nach Dänemark gekommenen Grönländer nicht mehr als Ikonen unzähmbarer Wildheit und unbezwingbarer Energie, die sich angesichts des dänischen Königs und des dänischen Publikums in das genaue Gegenteil verwandeln, sondern sie erscheinen von Anfang an als lebendige und leibhaftige Zeichen und Ikonen der Fortschritte und Erfolge der missionarischen und kolonisatorischen dänischen Bestrebungen, und ihr Tod bestätigt nicht mehr die Macht des Königs, sondern ist im Gegenteil Anlaß zu Mitleid und Trauer. All dies mag erklären, warum sich die Darstellungen, Berichte und Erzählungen des 18. Jahrhunderts in einem Punkt so überaus deutlich von den früheren unterscheiden: der Nachdrücklichkeit und Ausführlichkeit nämlich, mit denen man nunmehr versucht, dem Standpunkt und der Perspektive der reisenden Grönländer selbst gerecht zu werden.

In den früheren Berichten und Erzählungen ist im Grunde nur eine Stimme zu hören: die der dänischen (oder von ihnen angeheuerten englischen) Seeleute, Kapitäne, Entdecker und Eroberer, um deren getreue Wiedergabe sich die Chronisten Adam Olearius, Jens Bielke und Claus Christophersen Lyschander so gewissenhaft bemühten, daß die Äußerungen und Sprachhandlungen der Grönländer ausschließlich als stumme Gesten und sinnlose Laute, als schiere Wildheit oder verständnisloses Nachahmen und Nachäffen anderer wahrgenommen werden konnten. Sogar die von Olearius im Zusammenhang mit seiner Untersuchung der drei Grönländer in Gottorp angefertigte, für die Geschichte der europäischen Erforschung der Inuit-Sprache durchaus bedeutsame Wortliste[65] gibt nicht etwa intentionale Äußerungen oder Sätze, sondern eben nur auf Buchstaben reduzierte Laute und Töne wieder. Modern und mit Fernand de Saussure gesprochen, interessierte sich Olearius nicht für die *paroles* oder Sprachakte der Grönländer, sondern nur für deren *langue* oder Sprache.

Ganz anders sehen die Tagebücher und Chroniken, die Kommentare und Schilderungen zu Beginn des 18. Jahrhunderts aus, die ja in erster Linie aus der Feder der Missionare

---

65 Olearius 1656, S. 171. Für eine moderne Einschätzung der frühen grönländischen Wortverzeichnisse siehe Petersen und Rischel 1985.

stammen. Hans Egede und besonders sein Sohn Paul, der einen guten Teil seiner Jugend in Grönland verbracht hatte und deshalb die Sprache der Grönländer besser beherrschte als sein Vater, haben detaillierte Berichte über die Reiseerlebnisse »ihrer« Grönländer in Dänemark verfaßt und die Reisenden in diesen Texten oft sehr ausführlich zu Worte kommen lassen. Für Hans und Paul Egede kam den authentischen Stimmen ihrer Schützlinge eine ganz besondere Bedeutung zu: Statt als stumme Ikonen der Beherrschbarkeit des absolut Unbeherrschbaren zu gelten, waren die zugereisten Grönländer für sie und ihre Leser leibhaftige Zeugnisse und Beweise für den Fortschritt und die Erfolge ihrer Mission. Die Worte und Äußerungen der Grönländer verkörperten für die Missionare die Wahrheit, die den Grönländern mit den Worten des Herrn und dem Evangelium verkündet und eingegeben worden war. Kein Wunder, daß Hans und Paul Egede so eifrige Zuhörer waren und in ihren Schriften und Veröffentlichungen keine Anstrengung scheuten, ihre Leser mithören und aufhorchen zu lassen.

In den folgenden Textauszügen sollen auch in diesem Buch die Grönländer ausführlich zu Worte kommen – so, wie ihre Aussagen von Paul Egede, aber auch von anderen wie zum Beispiel Ludvig Holberg zitiert, wiedergegeben und referiert worden sind. Zum besseren Verständnis dieser Texte und als eine Art Auftakt für die abschließende Diskussion über Kontinuitäten und Diskontinuitäten des dänisch-grönländischen kolonialen und postkolonialen Sonderwegs sollen hier aber zumindest einige Textbeispiele kommentiert werden.

Am deutlichsten dringt die Stimme von Pooq durch das Dickicht der Quellen. Schon während ihres Aufenthaltes in Kopenhagen sind Pooq und Qiperoq in zeitgenössischen Quellen mehrmals *verbatim* zitiert worden, aber in den Tagebüchern von Hans und Paul Egede ist auch ausführlich davon die Rede, wie, unter welchen Umständen und zu welchen Zwecken Pooq – Qiperoq war wie erwähnt schon auf dem Heimweg in Bergen verstorben – nach seiner Heimkehr seinen Landsleuten über seine Reise Bericht erstattet hat.

Aus Hans Egedes Aufzeichnungen geht hervor, daß Pooq unmittelbar nach seiner Rückkehr aus Dänemark starkes Interesse für eine Grönländerin zeigte, die sich während seiner Abwesenheit der Kolonie angeschlossen hatte. Eine erste Andeutung davon, wie Pooq von seiner Entdeckungsreise in Godthaab Gebrauch gemacht hat, geht aus der Rolle hervor, die die Geschenke, die er in Kopenhagen erhalten und mit nach Hause gebracht hatte, bei der Anbahnung seiner Ehe spielen konnten:

> »Nachdem der aus dem Vaterland (Dänemark) zurückgekehrte Grönländer Pooq seit seiner Rückkehr fleißig mit seinen Landsleuten konversiert hatte, hatte es den Anschein, als bekäme er wiederum Lust zu seiner vorigen Lebensweise; denn unter den aus dem Süden angekommenen Frauen hatte er ein Mädchen gesehen, das er zur Frau haben wollte. Das Mädchen hatte ihm auch ihr Jawort gegeben, unter der Bedingung, daß er ihr und ihren Freunden in den Süden folge. Dies schlug er mir vor, bat um meine Erlaubnis und versprach, daß er im nachfolgenden Jahr wieder zurückkommen werde. Weil dies nun ohne Zweifel zum Verderb seiner Seele geraten würde, meinte ich, es streite gegen das Gewissen, ihm seine Freiheit zuzugestehen. Deswegen hielt ich ihm vor, wie schädlich es ihm im Hinblick auf seine ewige Seligkeit sei, wenn er wieder dazu käme, unter den anderen wahnsinnigen Leuten zu leben, und daß er da notwendigerweise die Unterweisung missen müsse, die er bei uns haben könne. Aber meine Vorstellungen halfen nichts, denn die Heiratsgelüste hatten ihn zu stark in ihrer Gewalt, so daß er weg wollte. Und als ich sah, daß er nicht davon abzubringen war, schlug ich ihm vor, daß ich ihm eine Hausfrau aus der Nähe nehmen wolle, was er als am besten erachtete, in der Absicht, beide in der Kolonie bei uns zu behalten. Dies mochte er wohl und schlug die Tochter eines Mannes der Nachbarschaft vor, die

> er uns für ihn zu holen bat. Um ihn zufriedenzustellen, begaben wir uns dorthin und überredeten das Mädchen, uns nach Hause zu folgen, aber man offenbarte ihr nicht, daß Pooq sie zur Frau haben wolle, sondern sagte nur, daß sie einige Tage bei uns bleiben solle, um etwas zu nähen. Nachdem sie nun zu uns gekommen war, sagten wir ihr es, aber sie schämte sich und sagte nein, sie wolle ihn nicht haben. Aber der Freier tat selbst sein Bestes, um sie zu überreden, indem er ihr alle die Raritäten zeigte, die er in unserem Land geschenkt bekommen hatte und welche er ihr präsentierte. Dadurch ließ sie sich schließlich dazu überreden, ihre Zustimmung zu geben«[66].

Hans Egedes umständliche Berichterstattung gewährt Einblick nicht nur in seine Vorgehensweise als umsichtiger Missionar und Koloniepatriarch, sondern sie öffnet uns auch den Blick für die Chancen und Möglichkeiten, die sich seine Schützlinge – abgesehen vom ewigen Seelenheil – erhoffen konnten. Pooq wußte sehr wohl, wozu er die ihm auf seiner Reise zugefallenen Raritäten gebrauchen konnte. Und Hans Egede scheint geradezu darauf gesetzt zu haben, daß Pooq mit seinen Raritäten und Augenzeugenberichten aus Dänemark der Mission außerordentlich nützlich sein konnte. Noch deutlicher gehen diese Zusammenhänge aus einem anderen Text hervor, der dieselben Ereignisse aus der Sicht von Hans Egedes damals 14 Jahre altem Sohn Paul schildert. Auch Paul Egede, der bei Abfassung seines erst 1788 veröffentlichten Textes sicherlich die Niederschrift seines Vaters vor sich hatte, dessen Rolle er aber sichtlich zu verschweigen bemüht war, zeichnet ein ausgesprochen realistisches Bild davon, wie Pooq sich seine Kopenhagener Erfahrungen zunutze zu machen wußte:

---

66 Hans Egede 1925, S. 169f.

»1725. Der Grönländer Pooq, der dieses Jahr aus Kopenhagen zurückkehrte, gab mir den Auftrag, ihm eine Frau zu nehmen, die er sich selbst ausersehen hatte. Ich nahm es auf mich und reiste mit ihm und drei Männern dorthin. Als wir uns dem Ort auf eine halbe Meile näherten, ging er in seiner vollen dänischen Tracht an Land, den Degen an der Seite und das Gewehr in der Hand; dort wollte er auf uns warten. Die Braut, die sich im Zelt ihres Bruders aufhielt, konnte ich nach der Sitte des Landes mit Gewalt nehmen und zum Boot schleppen, und eben dies waren die letzten Worte des Freiers: ›Will sie nicht, so nimm sie mit Macht, das wird später mit ihrer Zustimmung geschehen‹. Aber ich wollte, daß es auf rechte Weise zugehen sollte, und fragte sie daher, ob sie nicht Lust hätte, uns zu folgen; es gebe etwas zu nähen, das mit dem Schiff nach unserem Vaterland geschickt werden solle, und daß sie dafür gut bezahlt werden würde. Sie war dazu willens und folgte uns nach. Als wir ein Stück vom Land abgekommen waren, sagte ich zu ihr: ›Du hast wohl gehört, daß Pooq wieder zu uns gekommen ist. Er will eine Frau haben und hat mich gebeten, dich zu holen‹. ›Das ist nicht wahr‹, sagte sie. ›Nun wirst du ihn gleich zu sehen kriegen‹, antwortete ich, ›er wartet hier in der Nähe auf uns‹. Aber sie wollte das nicht glauben, bevor sie ihn zu sehen bekam, woraufhin sie sehr ernst wurde und einen schiefen Blick bekam. Er war herzlich vergnügt darüber und wollte sogleich seine Schnelligkeit mit unseren Gewehren [beweisen], schoß augenblicklich auf einige Seevögel, traf aber zu seinem Unglück keinen, was ihn allerdings nicht zu stören schien. Die Braut blickte nicht auf, bis wir zur Kolonie kamen, wo Pooq umgehend eintrat und auf folgende Weise begann: ›Ich bin über das gefährliche, weitgestreckte Meer gesegelt zu dem Land der Langbärtigen (Norwegen). Ich habe viele merkwürdige Dinge gesehen. Ich habe den großen Oberherren, den

König, gesehen. Ich habe den Klang der schrecklichen Waffen gehört, sowohl im Innern als auch außerhalb seines großen Hauses. Ich bin reich geworden, ich habe drei große Kisten voll wertvoller Dinge, und das ist viel zu viel für mich allein. Ich habe dich deshalb zu meinem Weib ausersehen. Der vernünftige Pavia [Paul Egede], den ihr alle so gerne habt, hat dich für mich gefangen. Du gehörst mir, und ich will meinen Reichtum mit dir teilen‹. – Nach diesen Worten wollte er unverzüglich ins Bett mit ihr; aber sie rief: ›Er ist verrückt, helft mir!‹ Wir mußten ihn also daran hindern, damit sie sich nach der Sitte des Landes ein oder zwei Tage lang ausweinen und ein paarmal weglaufen konnte, wobei sie allerdings erwartete, daß wir sie wiederfinden konnten«[67].

Pooq hat über seine erste große Reise nicht nur zu Heiratszwecken berichtet. In den Einträgen zum 25. April 1726 heißt es bei Hans Egede abermals, er habe »die Gesänge« gehört, in denen Pooq »über seine Reise und was er in unserem Land gesehen habe« berichtet[68]. Paul Egede bietet auch in diesem Fall eine ausführlichere Version:

---

67 P. Egede 1988, S. 34. Siehe auch Bertelsen 1945, S. 34. Eine weitere Version mit nur geringfügigen Änderungen findet sich bei David Cranz, wo es unter anderem heißt: »Allein, so gut es dem Pooq in Europa gefallen, so bekam er doch bald wieder Lust zu seiner vorigen Lebensart, und wollte mit einer Weibsperson von der Colonie weg nach Süden fahren. Mit viel Mühe überredete man ihn zu bleiben, und eine bey der Colonie wohnende Grönländerin zu heirathen, die eben auch nicht wenig Schwierigkeit machte, einen Menschen zu nehmen, der durch eine ausländische Lebensart sich gleichsam erniedrigt hätte« (Cranz 1765, S. 382f.). Die Deutung der Motive der Braut ist allein Cranz zuzuschreiben. Auch Hans Egedes Sohn und Paul Egedes Bruder Niels hat sich mit der rituellen Weigerung der Braut gegenüber ihrem zukünftigen Gemahl auseinandersetzen müssen, siehe dazu Text V.

68 Hans Egede 1925, S. 184.

»Seine Reise nach Kopenhagen hat er (Pooq) in einem Gesang beschrieben, dessen Inhalt so war: daß er zwei Monate auf dem großen Meer gewesen sei, wo kein Land zu sehen gewesen sei, bis er zum Land der Bärtigen gekommen sei, und von da zum Land des großen Herrn, wo die Menge der Leute wie Mücken gewesen sei, die Häuser innen und außen herrlich und groß, und besonders der Runde Turm[69], den er einen gemachten Berg nannte, mit einem Schneckengang bis zur Spitze. Es gebe keine anderen Berge im Land des Königs als ihre Häuser. Das Haus des Königs und die Andachtshäuser seien so hoch, daß man nicht mit dem Bogen darüber hinwegschießen könne«[70].

Die ausführlichste und ausgefeilteste Version von Pooqs Bericht über seine Reise in das Land des großen Herrn geht ebenfalls auf einen Eintrag bei Hans Egede zurück, den Paul Egede dann später weiter ausgearbeitet und erweitert hat. Bei Hans Egede heißt es zum 25. April 1726:

»Die Grönländer stellten ein Spiel und eine Lustbarkeit miteinander an mit Spiel und Tanz, so daß mein Kollege mit mehreren anderen dorthin eilte, um sie sich anzusehen. Ein solches Spiel besteht darin, daß zwei ge-

---

69 Dieser »Runde Turm« steht noch heute im Zentrum der Kopenhagener Altstadt. Er wurde 1642 von Christian IV. als Observatorium gebaut und ist für seinen treppenlosen Schneckenaufgang bekannt, der es angeblich Peter dem Großen 1719 bei seinem Besuch erlaubte, den 42 Meter hohen Turm auf dem Pferd zu »besteigen«, während seine Gemahlin Katharina II. zu diesem Zweck eine Pferdekutsche benutzte.

70 P. Egede 1988, S. 35. Eine weitere Version von Pooqs Bericht über seine Reise nach Dänemark hat die Form eines mündlich überlieferten Volkslieds, von dem eine ostgrönländische Version 1933 aufgezeichnet worden ist. Später hat sich herausgestellt, daß ein sehr ähnliches Lied schon 1726 oder 1727 vermutlich von Hans Egede handschriftlich festgehalten worden ist. Siehe hierzu ausführlich Berthelsen 1993.

> nau einander gegenüberstehen mit einer kleinen Trommel in der Hand, auf welcher sie spielen der Reihe nach, und einander zusingen, und was dann der eine dem anderen vorzuwerfen hat, das führt er in einem solchen Lied vor. Kann der Gegenspieler ihm darauf nicht antworten oder ihn zurückweisen, dann muß er mit Scham ausweichen und wird von allen denen, die zuhören, ausgelacht. Der eine von denen, die hier miteinander stritten, war sehr wortgewaltig, so daß sein Widerpart aufgeben mußte, weshalb ein anderer aufstand, um seine Kunst an ihm zu erproben, aber der mußte ebenfalls voller Scham aufgeben und weggehen. Daraufhin ließ unser Pooq seine Lieder hören, die er über seine Reise gemacht hatte, und was besonders er in unserem Lande gesehen hatte; welches sie alle zusammen bewunderten und lobten. Weil die Grönländer dieser Zeiten wohl mit Speise versorgt sind, tun sie bald nichts anderes mehr, als jeden Tag zu singen und zu tanzen«[71].

Aller Wahrscheinlichkeit nach haben gerade diese Passagen Hans Egedes Sohn Paul als Vorlage für die »vollständige« Version gedient, die er auf Grönländisch, Lateinisch und Dänisch im Anhang zu seiner 1760 gedruckten Grammatica Groenlandica Danico-Latina veröffentlicht hat und die in deutscher Übersetzung den ersten Reisebericht des Textteils in diesem Band ausmacht.

Sowohl dieses Gespräch wie auch die anderen Texte aus dem 18. Jahrhundert, in denen nach Dänemark und Kopenhagen gereiste Grönländer mehr oder weniger direkt und wortgetreu durch die Feder insbesondere Paul Egedes, aber auch Ludwig Holbergs, zu Worte kommen (siehe die Texte II

---

71 H. Egede 1925, S. 184. Hans Egede hat diese Art Wettgesang auch in seinem 1741 erschienenen Buch beschrieben: H. Egede 1741, S. 84ff.

Abb. 4: Poq und Qiperoq im »Runden Turm« von Kopenhagen. Briefmarke nach Vorlage von Jens Rosing, Dänemark 1968.

bis X des Textteils), stellen im europäischen Kontext ein in mehrfacher Hinsicht einzigartiges Corpus dar. Zunächst jedoch ein paar Worte zu den Verfassern.

Die Mehrzahl der Texte stammt, wie gesagt, von Paul Egede, Hans Egedes ältestem Sohn, der, 1709 oder 1708 in Norwegen geboren, im Alter von zwölf Jahren mit seinen Eltern nach Grönland kam. Schon als Jugendlicher hat er im Umgang mit seinen Altersgenossen unter den Angehörigen der neugegründeten Handels- und Missionsstation die grönländische Sprache zu lernen begonnen, mit der er sich auch als Erwachsener außerordentlich gründlich beschäftigen sollte. 1728 wird er – gleichzeitig mit Pooqs zweiter Reise nach Kopenhagen (Text II) – von seinen Eltern nach Dänemark geschickt, um dort zu studieren. Er selbst hätte gerne eine militärische Laufbahn eingeschlagen, aber er gibt dem Druck seines Vaters nach und läßt sich an der Theologischen Fakultät der Universität Kopenhagen immatrikulieren, um sich zum Pfarrer und Missionar ausbilden zu lassen. Nach sechs Jahren – also nach der oben erwähnten katastrophalen Pockenepidemie – kehrt er 1734 wieder nach Grönland zurück, wo er 1736 in eigener Verantwortung die Missionsstation Christianehåb übernimmt. Ein Augenleiden zwingt ihn 1740 dazu, abermals nach Kopenhagen zurückzukehren, wo er den Rest seines langen Lebens verbringen sollte. 1747 wird er Nachfolger seines Vaters als Leiter des grönländischen Seminariums in der dänischen Hauptstadt, 1758 ernennt man ihn zum Inspektor der grönländischen Mission, 1761 zum Professor, 1774 zum Direktor des Waisenhauses, das ebenfalls Katecheten für die grönländische Mission ausbildet, und 1779 erhält er schließlich den Rang eines Bischofs.

1741 erschien unter seinem Namen eine Fortsetzung der von seinem Vater begonnenen Berichte über den Fortgang der Mission in Grönland[72], 1750 das erste grönländische Wörterbuch unter dem Titel *Dictionarium groenlandico-danico-latinum*, 1760 die schon erwähnte ebenfalls dreisprachige grönländische Grammatik, die, wie gesagt, im Anhang den Dialog Pooqs mit seinen Landsleuten nach seiner ersten Reise (Text I) enthält, 1766 eine grönländische Übersetzung des Neuen Testaments, und 1788 schließlich, nur ein Jahr vor seinem Tod, als er 80 Jahre alt war, die ›Nachrichten über Grönland, Auszüge aus einem von 1721 bis 1788 geführten Journal‹, dem der Hauptteil der nachfolgenden Textauszüge entnommen ist.

Ganz wie sein Vater Hans Egede, der sich 1736 nach dem Tod seiner Frau wieder nach Dänemark zurückziehen mußte, wo er von 1740 bis 1747 das Amt des Bischofs von Grönland wahrnahm, hat sich Paul Egede zeit seines Lebens fast ausschließlich mit Grönland, der grönländischen Sprache und der grönländischen Mission beschäftigt und kann also –

72 Continuation af Relationerne betreffende den Grönlandske Missions Tilstand og Beskaffenhed, Kopenhagen 1741.

wenn man die ihm anvertrauten Ämter und Ehren in Rechnung stellt – als zwar nicht immer allgemein anerkannter, aber dennoch offizieller Impressario der dänisch-grönländischen Kulturbegegnungen in der zweiten Hälfte des 18. Jahrhunderts gelten. Unumstritten sind seine Leistungen als Pionier im Hinblick auf die Sprache der Grönländer, kaum Zweifel kann über seinen politischen Einfluß auf die Grönland betreffenden dänischen Initiativen und Entscheidungen bestehen, und ebenso unangefochten scheint sein Ruf als ihr Interessenvertreter unter neubekehrten Grönländern gewesen zu sein. Sein Vater Hans Egede hatte mit seinen Büchern, die unter den Titeln »Ausführliche und wahrhafte Nachricht vom Anfange und Fortgange der Grönländischen Mission« (Hamburg 1740, dänische Ausgabe 1737) und besonders »Des alten Grönlands Neue Perlustration Oder Naturell Historie« (Kopenhagen 1742, dänische Originalausgabe 1741) auch sogleich in deutscher Übersetzung erschienen sind, den Grundstein für die moderne missionarische, naturhistorische und ethnographische Erschließung Grönlands gelegt, während Paul Egede sich insbesondere aufgrund seiner linguistischen Arbeiten Anerkennung hat erwerben können.

Die meisten Auszüge im Textteil entstammen einem Buch, das Paul Egede erst ein Jahr vor seinem Tod auf der Grundlage früherer Aufzeichnungen veröffentlicht hat und das 1790 schon einmal in deutscher Übersetzung erschienen ist[73]. Paul Egedes Aufzeichnungen sind in vielen Fällen die einzigen Quellen zu den Besuchern aus Grönland, deren eigenen Ansichten und Einschätzungen er offenbar einen sehr hohen Wert zugeschrieben hat. Wenn man die verschiedenen, oft wörtlich wiedergegebenen grönländischen Stimmen miteinander vergleicht, die Egede zu Worte kommen läßt, fällt die Vielfalt der Situationen und Kontexte auf, in denen sich die Grönländer gegenüber Egede oder mit Egede als

---

73 P. Egede 1790.

Zeugen geäußert haben. Pooqs Dialog mit seinen Landsleuten (Text I) oder der Brief von »Poul Grönländer« (Text VII) lassen deutlich erkennen, daß Paul Egede durchaus keine literarischen Mittel scheute, um »seine« Grönländer in einer seinen Zwecken und Absichten dienlichen Weise sprechen zu lassen: Im Falle von Pooqs Dialog kann kein Zweifel daran bestehen, daß wir es mit einer fremdsprachenpädagogisch motivierten Konstruktion zu tun haben, die sich erheblich von früheren Versionen unterscheidet. Obwohl auch moderne Forscher von der Echtheit des Briefes von »Poul Grönländer« überzeugt zu sein scheinen[74], lassen sich der naturhistorische und religionskritische Inhalt und die den damaligen Konventionen perfekt entsprechende Form seines Briefes wohl kaum anders deuten, als daß Paul Egede in diesem Fall eine real existierende Person nicht eigentlich zitiert, sondern vielmehr zu einem Autor von Äußerungen machte, die seinen eigenen Projektionen nicht nur entsprochen haben, sondern auch entsprungen sein müssen. Über Poul Grönländer können wir im übrigen in Hans Egedes Schriften nur erfahren, daß er am 29. April 1731 getauft worden ist[75], von Ende

---

74 Christian Berthelsen gibt in seiner kommentierten Anthologie zur Geschichte der grönländischen Literatur ohne weitere Quellenangabe an, Poul Grönländer sei einer der »privat angelernten grönländischen Mithelfer« gewesen. Zwar vermerkt Berthelsen ausdrücklich, daß der Brief nur in Egedes Übersetzung erhalten ist so daß wir also »seinen Stil und seine Art, sich auszudrücken, nicht kennen«, spricht darüber hinaus jedoch von der »ewigen Aktualität« des Textes (Berthelsen 1983, S. 30f.). In Mads Lidegaards Beitrag über »Poul Grönländer« im dänischen nationalbiographischen Lexikon heißt es: »Diese Briefe ... sind die ältest bekannte geschriebene grönländische Literatur und offenbaren sowohl ein klares Denken wie eine sichere Feder. Einige von ihnen sind sehr aufschlußreich, wenn man verstehen will, was in den grönländischen Sinnen während der Begegnung mit der gesamten christlichen Gedankenwelt vor sich gegangen ist«. Nach Ostermann (P. und N. Egede 1936, S. 304) befindet sich ein Brief, den Poul Grönländer aus Anlaß des Todes seines Vaters in grönländischer Sprache an Paul Egede geschickt hat, im dänischen Reichsarchiv.

75 H. Egede 1925, S. 246.

Abb. 5: Die Grönländer. Kupferstich auf Seite 4 in Paul Egedes Nachrichten von Grönland, Kopenhagen 1788.

September bis Anfang Oktober 1733 an den Pocken erkrankt war[76] und am 27. Juni 1736 ein Rentier erlegt hat[77]. Bei Paul Egede wird er außer für seinen Brief nur als Quelle einer Erzählung über das Ende der Welt zitiert[78].

Anders hingegen scheint es sich in vielen der übrigen Textbeispiele zu verhalten, die gattungsmäßig schwerer einzuordnen sind und sich weniger leicht und eindeutig auf eventuelle Projektionen Egedes zurückführen lassen. Aber eben weil sie aufgrund ihrer oft genau umschriebenen Entstehungsbedingungen so außerordentlich realistisch erscheinen, lassen sie sich umgekehrt als Zeugnis dafür deuten, daß Paul Egede seinen Projektionen nicht nur im literarischen Schaffen freien Lauf gelassen hat, sondern sie

---

76 H. Egede 1925, S. 269.

77 H. Egede 1925, S. 302. Darüber hinaus wird »Povel Grönländer« auch in einem Verzeichnis der Bewohner der Kolonie Godthaab von Missionar Martin Ohnsorg am 5. Juli 1740 erwähnt. Dort heißt es: »1. Ein verheirateter Mann namens Povel, getauft von Herrn Hans Egede, und ziemlich verändert, besonders in diesem Jahr; er hat eine herrliche Kenntnis von Gott und seinem Willen. Kann gut lesen sowohl grönländisch als dänisch, und auch schreiben. Es wird gehofft, daß derselbe auch, wie er mir versprochen hat, sein katechetisches Amt mit Treue und Fleiß verrichten wird, das ihm dieses Jahr von dem hochlöblichen Missionskollegium anvertraut worden ist.« Hier zitiert nach P. und N. Egede 1939, S. 118.

78 »Einer meiner grönländischen Korrespondenten, der sich Poul Grönländer schreibt, einer der ersten von meinem Vater getauften, berichtet, daß gewisse weit gereiste Personen damit prahlen, sie seien so weit nach Norden gekommen, daß der Himmel, der das Meer zu berühren schien, im Winter direkt auf das Eis hinunterging, und daß sie in der Ferne einen Pfad gesehen hätten, der vom Eis zum Himmel reichte. Und als sie lange dorthin geschaut hätten, entdeckten sie, daß ein Angekok zu ihnen niederstieg und erzählte, daß er mit den Seelen der Toten Stockfisch gegessen und Gottes Sohn gesehen habe, der sehr hell und leuchtend gewesen sein soll. Manchmal lasse er sich als eine brennende Flamme sehen, im Winter aber sei er wie der Mond. Er habe ihnen verboten, näher zum Himmel zu kommen, denn dann könnten sie ihr Leben verlieren, denn es sei nur Angekoken erlaubt, auf diesem Weg zum Himmel zu kommen« (P. Egede 1988, S. 144f.). Siehe darüber hinaus die kurzen Nachrichten von Niels Egede in N. und P. Egede 1939, S. 213.

sowohl in seiner Missionsarbeit als auch in den vielen Gesprächen mit Grönländern in Dänemark tatsächlich hat verwirklichen können. Wir werden niemals in Erfahrung bringen können, was, wann und wem die von Egede zitierten und übersetzten Grönländer in Wirklichkeit berichtet haben.

Kein Zweifel aber kann daran bestehen, daß Paul Egede selbst und seine zeitgenössischen Leser sowie fast alle nachfolgenden Generationen von Eskimologen und Historikern, die sich seitdem mit diesen Texten beschäftigt haben, der festen Überzeugung waren, daß wir es hier, von leicht erklärlichen Ausnahmen einmal abgesehen, tatsächlich mit den authentischen Worten authentischer Grönländer zu tun haben, von Grönländern also, deren Stimmen ebenso wirklich und authentisch waren wie die Körper der stummen, wilden Eskimos, die im vorhergehenden Jahrhundert in Grönland geraubt und in die dänische Hauptstadt transportiert worden waren. Ganz unabhängig von der Frage nach dem wahren, ontologischen Status der Stimmen und Körper, die uns in den Quellen entgegentreten, läßt sich hier festhalten, daß Paul Egede und vermutlich die Mehrheit seiner zeitgenössischen Leser ihr Interesse am Seelenheil der ihnen – das heißt Paul Egede von Gott und seinem Vater, den Lesern von Paul Egede – anvertrauten Grönländer derart eng mit der Frage nach ihrem eigenen Seelenheil verknüpft haben, daß eben daraus eine Form des ethnographischen Realismus entstanden ist, die im zeitgenössischen Europa kaum ihresgleichen hat.

Ludwig Holberg, der Verfasser des letzten im Textteil wiedergegebenen Textes aus dem 18. Jahrhundert, 1684 in Norwegen geboren, hat sich mit Grönland und der grönländischen Mission nur ganz am Rande seiner umfassenden und äußerst einflußreichen literarischen Tätigkeiten beschäftigt. Nach Studienreisen nach England, Frankreich und Italien war er 1717 aufgrund seiner historischen Schriften zum Professor in Kopenhagen ernannt worden. In den darauffolgenden Jahren hat er in einer Art von »poetischem Raptus« eine lange Reihe satirischer und komischer, später auch moralischer und historischer Schriften verschiedenster Gattungen verfaßt, die ihn als dominierende Figur der dänischen Literatur des 18. Jahrhunderts ausweisen. Der im Textteil wiedergegebene Brief über die Grönländer entstammt der fünfbändigen Sammlung von Episteln, die kurz vor seinem Tod im Jahre 1754 erschienen ist.

Holbergs Anliegen bezüglich der nach Kopenhagen gelangten Grönländer und deren religions- und zivilisationskritischen Äußerungen unterscheidet sich deutlich von den Absichten Paul Egedes. Obwohl es Holberg darum gegangen zu sein scheint, statt Zeichen des erhofften Seelenheils Beweise »für den natürlichen Verstand und den guten Herzenssinn der wilden Grönländer« in ihren kritischen Infragestellungen der in Europa herrschenden Verhältnisse und Vorstellungen aneinanderzureihen, hat er die Mehrzahl seiner Zeugnisse dennoch direkt von Paul Egede übernehmen können, der sie dann erst mehr als dreißig Jahre später noch einmal anders als Holberg unter namentlicher Nennung der grönländischen Zeugen veröffentlicht hat.

Zwar können wir nur Vermutungen darüber anstellen, welche weiteren Quellen Holberg zur Verfügung gestanden haben[79]. Indem Holberg aber die religions- und zivilisationskritischen Kommentare der Grönländer aus der missionarischen und theologischen Sphäre herausgegriffen hat, um sie zu im damaligen Europa geläufigeren philosophischen und moralphilosophischen Zwecken zu gebrauchen, lädt sein Text ganz besonders zu europäischen Vergleichen ein.

Um die Mitte des 18. Jahrhunderts hatten die Beschreibungen und Schilderungen europäischer Verhältnisse durch außereuropäische Besucher und Beobachter schon eine lange Tradition. Gian-Paolo Maranas *L'Esploratore turco e le di*

---

79 Daß Holberg über weite Strecken die von Paul Egede 1741 veröffentlichte Continuation der die grönländischen Mission betreffenden Relationen (siehe Text III) hat benutzen können, scheint Hans Christian Gulløv in seiner ansonsten umsichtigen Analyse der Schriften Holbergs über Grönland entgangen zu sein (GULLØV 1978a, S. 87).

lui relazioni segrete alla Porta Ottomana, scoperte in Parigi nel Regno di Luigi il Grande aus dem Jahr 1682 gilt vielen als das früheste Beispiel einer Gattung, die durch die um vieles erweiterten englischen Versionen unter dem Titel *Letters from a Turkish Spy*[80], besonders aber Montesquieus *Lettres Persanes* aus dem Jahre 1721, schnell europaweite Verbreitung finden sollte, und zwar vor allem als Ventil der verschiedensten Formen der Gesellschaftskritik, die auf diesem Wege teils die Zensur umgehen, teils die Vorteile der Fiktion eines außenstehenden und deshalb als unparteiisch geltenden Beobachters ausnutzen konnte[81].

Holbergs Epistel über die Grönländer läßt sich dieser Tradition ohne weiteres zuordnen, sehr viel besser aber hat ihr ein anderer norwegisch-dänischer Verfasser entsprochen, nämlich der pietistische Theologe und Bischof Erik Pontoppidan (1698–1764) mit seinem 1745 erschienenen zweibändigen Roman über die Reise eines »asiatischen Prinzen« durch Europa nach Dänemark. Pontoppidans »asiatischer Prinz« gerät schon als Kind in die Hände der dänisch-hallischen Mission in Tranquebar und begibt sich als getreuer lutheranischer Christ auf die weite Reise, die ihm (und Pontoppidan) Gelegenheit zu ausgiebiger Kritik der Verhältnisse im katholischen Süden Europas gibt, wie aus dem Titel des Werkes hervorgeht:

> »Menoza, ein asiatischer Prinz, der um die Welt zog, um Christen zu suchen, besonders in Indien, Spanien, Italien, Frankreich, England, Holland, Deutschland und Dänemark, aber nur wenig von dem fand, was er suchte. Eine Schrift, die die unerschütterlichen Gründe sowohl der natürlichen als auch der offenbarten Religion enthält und vor den kenntlichen Abweichungen der meisten Christen in Lehre und Wandel warnt«.

---

80 Wegweisend zu Marana die perspektivenreiche Biographie von Roscioni 1992.

81 Siehe dazu Weisshaupt 1979.

Sowohl Holberg als auch Pontoppidan schöpfen ganz im Sinne der *Lettres Persanes* die Möglichkeiten aus, die sich aus der Fiktion des außenstehenden und deshalb angeblich unvoreingenommenen Besuchers und Beobachters ergeben. In der Regel gaben die Verfasser der Perserbriefe des 18. Jahrhunderts sich gar nicht erst Mühe, ihre fiktiven fremden Botschafter, Gesandten, Agenten und Spione als real existierende Personen auszuweisen. Die Ansichten und Beobachtungen wirklicher Besucher Europas kamen in der Regel in dieser Gattung, wenn überhaupt, nur am Rande oder als Ausnahmen vor – und gerade darin besteht die Originalität der aus Missionszusammenhängen entstandenen dänischen Beiträge zum europäischen Chor.

Erik Pontoppidans »asiatischer Prinz« läßt sich von seinen Lesern schnell als Fiktion durchschauen, aber gerade im Umfeld der dänisch-hallischen Mission in Tranquebar sind auch andere Texte entstanden, die dem für Paul Egede so charakteristischen ethnographischen Realismus sehr viel näher zu kommen scheinen als die meisten der der Gattung der *Lettres Persanes* zuzuordnenden Texte. Ich denke hier an die noch vor Montesquieus *Lettres Persanes* erschienene *Malabarische Korrespondenz*, in der die Halleschen Missionare Johann Ernst Gründler und Bartholomäus Ziegenbalg eine Reihe allerdings namentlich nicht identifizierter heidnischer Tamilen in der Form ihrer an Missionare gerichteten Briefe ausführlich zu Worte kommen ließen[82].

Nicht nur Holberg, sondern auch, wie nicht zuletzt aus dem Brief von »Poul Grönländer« hervorgeht, Paul Egede waren mit der im 18. Jahrhundert nahezu endemischen Faszination vertraut, die die verschiedensten außereuropäischen Besucher ausstrahlen konnten. Aber nur die missionarische Bemühung um das individuelle Seelenheil namentlich identifizierter, einzelner Grönländer hat aus der allgemein verbreiteten Fiktion mit großer Gewissenhaftigkeit realistische

82 Siehe dazu jetzt ausführlich Liebau 1998.

– und darüber hinaus auch noch linguistisch und ethnographisch genauestens umschriebene – wortgetreue Wiedergaben der Äußerungen fremder, heidnischer Stimmen zu machen vermocht. Zwar kann Paul Egede kaum als repräsentativ für den dänischen Borealismus[83] des 18. Jahrhunderts gelten, aber seine missionarischen sowie zugleich auch literarischen Bemühungen stellen im europäischen Vergleich eine für den dänischen Umgang mit Grönland charakteristische Ausnahme dar.

Besser als mit der Tradition der Perserbriefe ließen sich die dänischen Grönländer vielleicht mit den gegen Ende des 18. Jahrhunderts und zu Beginn des 19. Jahrhunderts viel porträtierten und zitierten Südseeinsulanern vergleichen, die im Zusammenhang mit den spektakulären Expeditionen von Cook, Bougainville oder Kotzebue entweder einen Teil der Reise als Dolmetscher und Informanten mitvollzogen haben oder manchmal auch ganz mit nach England und Frankreich gekommen sind. Es würde zu weit vom eigentlichen Thema wegführen, die Darstellungen von Figuren wie Omai, Aoutourou, Maheine und Kadu in den Texten Cooks, Forsters, Bougainvilles, Diderots, Kotzebues und Chamissos im einzelnen mit denen unserer Grönländer zu vergleichen[84], aber allein der Umstand, daß sie hauptsächlich zur Veranschaulichung der verschiedensten Theorien und Hypothesen über den Naturzustand und die Entwicklungsgeschichte der Menschheit verarbeitet und sozusagen als Fallbeispiele in der europäischen Diskussion um die Theorien Rousseaus herangezogen worden sind[85], bestätigt ein weiteres Mal, daß

---

83 Der Begriff ist des öfteren vorgeschlagen worden, um die Geschichte der Erforschung und der literarischen Beschreibung der Arktis in Analogie zu dem Orientalismus zu analysieren, der seit der Studie von Edward Said so lebhaft analysiert und diskutiert worden ist.

84 Ich habe es an anderem Ort versucht; siehe Harbsmeier 1991.

85 In dem einzigen dänischen Beitrag zu dieser Diskussion, Jens Krafts, Die Sitten der Wilden, zur Aufklärung des Ursprungs und Aufnahme der Menschheit (Kopenhagen 1766, dänisches Original

die dänischen Grönländer im europäischen Vergleich auch im 18. Jahrhundert ein Sonderfall waren. In den Schilderungen der Südseeinsulaner stoßen wir erst in Adalbert von Chamissos Porträt seines Freundes Kadu in seiner 1836 veröffentlichten *Reise um die Welt* auf einen mit Paul Egede vergleichbaren Realismus des Einfühlungsvermögens.

Noch ergiebiger ist vielleicht ein anderer, näherliegender Vergleich mit den »Eskimos«, die George Cartwright 1772 nach England brachte, wo sie fast ebensoviel Aufmerksamkeit erregen konnten wie wenig später der Südseeinsulaner Omai[86]. Als Cartwright im November 1772 aus Labrador zurückkehrte, hatte er nicht weniger als fünf »Eskimos« zur Mitreise überreden können: Attuiock und Ickcongoque, die jüngste seiner vier Frauen, deren jüngste, vierjährige Tochter Ickeuna, seinen Bruder Tooglavinia und dessen Frau Caubvick. In einer Hinsicht gleicht das Schicksal dieser Entdeckungsreisenden dem ihrer Vorgänger in Dänemark: Schon im Mai des folgenden Jahres starben sie alle bis auf Caubvick an den Pocken[87]. Ihr Aufenthalt in England und insbesondere die Art und Weise, in der Cartwright ihre Reaktionen beschreibt, unterscheiden sich aber sehr deutlich von den Erfahrungen ihrer Vorgänger.

Sorø 1760), ist nur ganz am Rande von Grönländern die Rede. Anders verhält es sich bei Isaak Iselin, der in seiner Geschichte der Menschheit (1764) unter Hinweis auf Hans Egedes Schriften und in Polemik gegen Rousseaus »Naturzustand« die Grönländer als paradigmatische Repräsentanten des »ersten Grades« in der Entwicklung der Menschheit darstellt (Iselin 1768, Bd. I, S. 166–170). Ich danke Kasper Eskildsen für diesen Hinweis.

86 Hierauf verweist Michael Alexander mehrmals in seiner lesenswerten Rekonstruktion von Omais Besuch in London (Alexander 1977, S. 69, 75, 106).

87 Was Cartwright allerdings nicht daran hinderte, 1773 abermals einen Jungen Namens Noozelliackk mit nach England zu bringen, der nur drei Tage nach der vorsorglichen Impfung gegen die Pocken starb. »So fatal is that disorder to this race of mortals«, lautet der Kommentar Cartwrights (Cartwright 1792, Bd. I, S. 286).

Cartwright war nicht als Missionar ausgesandt worden, sondern hatte sich in eigener Verantwortung auf Entdeckungsreise begeben[88]. Seine spektakulären Besucher galten nicht als Zeugnisse für den Fortgang der Mission oder die Reichweite der sie sanktionierenden königlichen Imperialgewalt, sondern als naturhistorische Kuriositäten. Seinen Tagebüchern zufolge bemühte Cartwright sich sehr intensiv darum, dem interessierten Publikum den bestmöglichen Zugang zu »seinen« »Eskimos« zu verschaffen: Als die Nachbarn über die Menschenmengen klagten, die Cartwrights Residenz mit ihren Kutschen förmlich belagerten, um die exotischen Schaustücke mit eigenen Augen zu inspizieren, fand er ein anderes, publikumsfreundlicheres Domizil, um den nicht ablassenden Besucherstrom besser organisieren zu können[89]. Um königliche Aufmerksamkeit scheint er allerdings vergebens geworben zu haben.

Noch deutlicher wird der Kontrast im Vergleich zu den dänischen Grönländern, wenn wir uns Cartwrights Beschreibungen der Reaktionen der Zugereisten auf die ihnen vorgewiesenen Wunderwerke menschlicher Schaffenskraft zuwenden. London Bridge und Blackfriars Bridge, ja selbst St. Pauls Cathedral rufen zunächst ganz und gar nicht die Bewunderung und das Erstaunen hervor, die Cartwright von seinen Gästen erwartete. Erst als er ihnen deutlich macht, daß diese Bauten nicht etwa Naturgebilde, sondern menschliche Schöpfungen seien, findet sich das erwartete Staunen ein[90]. Auf die Frage allerdings, wie sie die Kathedrale »ihren Landsleuten bei ihrer Rückkehr beschreiben würden, antworteten sie sehr bestimmt, daß sie weder diese noch vieles

---

88 1770 hatte er mit drei anderen Interessenten eine eigene Handelsgesellschaft gegründet, um seine ökonomischen Interessen in Labrador besser wahrnehmen zu können (Kleivan 1957, S. 140).

89 Cartwright 1792, Bd. I, S. 267. Es geht aus den Quellen nicht hervor, ob Cartwright aus diesem Verkehr auch finanziellen Gewinn geschlagen hat.

90 Cartwright 1792, Bd. I, S. 266f.

andere, was sie gesehen hätten, erwähnen würden, weil sie sonst beschuldigt würden, Lügner zu sein wegen der scheinbaren Unmöglichkeit dieser verwunderlichen Dinge«[91].

Cartwrights in erster Linie naturhistorischer Zugang läßt sich auch an einer anderen Szene aus seinem Tagebuch erkennen. Als er seine Gäste in einen Tierhandel führte, konnten sie sich nicht von dem Anblick eines kleinen Affen losreißen, der dort zum Verkauf angeboten wurde:

> »Wir waren kaum zur Tür hereingekommen, als sie anfingen, auf einen kleinen Affen zu starren, und es war offenbar, daß sie bei diesem Anblick Abscheu und Schrecken verspürten. Schließlich wandte sich der Älteste von ihnen an mich und fragte stammelnd: ›Ist das ein Eskimo?‹ Ich muß gestehen, daß sowohl die Farbe als auch die Gesichtszüge viel Ähnlichkeit mit den Angehörigen ihres Volkes hatten. Aber ich bin völlig außerstande zu erklären, wie sie sich die Möglichkeit vorstellen konnten, daß ein Eskimo auf eine so geringe Größe reduziert werden könnte. Aber vielleicht war ihre Aufmerksamkeit so sehr auf das Gesicht gerichtet, daß sie die anderen Kennzeichen gar nicht bemerkten. Als ich ihnen später viele andere Affen verschiedenen Aussehens zeigte, lachten sie sehr über ihr Mißverständnis. Aber ganz glücklich waren sie nicht, als sie sahen, daß die Affen ihrem Volk ähnlicher waren als unserem«[92].

Auch der Besuch bei einem »berühmten Chirurgen und Anatomen« macht deutlich, daß Cartwright (und vermutlich seine zeitgenössischen Zuschauer und Leser ebenfalls) kein sonderliches Interesse am Seelenheil seiner fremden Gäste hatte. Als Attuiock die Gelegenheit benutzte, sich im Haus des hoch-

---

91 Cartwright 1792, Bd. I, S. 269. Das Thema wiederholt sich bei Knud Rasmussen (Text XI).

92 Cartwright 1792, Bd. I, S. 270.

gelehrten John Hunter umzusehen, erschrak er sehr, als er in einer Vitrine menschliche Knochen und ein Skelett entdeckte. Der Grund seines Schreckens ging Cartwright zufolge aus seiner Frage hervor, die er Cartwright »mit mehr Angst im Blick, als ich jemals bei einem Menschen gesehen habe«, stellt: »Sind dies Knochen von Eskimos, die Mr. Hunter getötet und gegessen hat? Sollen wir auch getötet werden? Will er uns essen und unsere Knochen dort hineinlegen?«[93] Das auf diese Frage folgende Gelächter der versammelten *gentlemen* sowie ihre beruhigenden Erklärungen, es handele sich um die Knochen hingerichteter Verbrecher, haben ebenfalls wenig mit dem pietistischen Mitgefühl gemein, das den Grönländern in Dänemark entgegenschlug, wenn sie nicht gerade gegen Geld dem Publikum ausgesetzt waren.

Nach dem bisher Gesagten kann es nicht überraschen, daß aus diesen Begegnungen anders als etwa im Falle Pooqs keine Reiseberichte von seiten der Zugereisten entstanden sind. Bei Cartwright findet sich dazu sogar eine – abermals naturhistorische – Erklärung:

> »Ich nahm Attuiock mit mir und ging zum Tower. Von dort ruderten wir in einem Boot den Fluß hinauf und gingen bei Westminster Bridge an Land. Dann wanderten wir zur Hyde Park Corner und wieder nach Hause. Ich wartete gespannt darauf, daß er, sobald wir den Raum betraten, anfangen würde, seinen Landsleuten von all dem Phantastischen zu berichten, das er gesehen hatte. Aber ich wurde tief enttäuscht. Attuiock setzte sich umgehend beim Kamin nieder, legte beide Hände auf die Knie, beugte sich vornüber und starrte mit einem blöden Gesichtsausdruck auf den Boden. Lange Zeit blieb er so sitzen. Schließlich hob er den

93 Cartwright 1792, Bd. I, S. 271. Angesichts dieser Episode drängt sich unweigerlich ein Vergleich mit Miniks Geschichte auf, der das Skelett seines eigenen Vaters in einer Museumsvitrine entdeckte. Siehe dazu Gilberg 1994.

Kopf und starrte an die Decke, während er ausbrach: ›Ach, ich bin so müde! Hier sind viel zu viele Häuser, zu viel Rauch und zu viele Menschen. Labrador ist ein gutes Land, mit Massen von Seehunden, ich wünschte, ich wäre wieder zu Hause.‹ Durch diesen Ausbruch wurde mir deutlich, daß die vielen verschiedenen Dinge, die er gesehen hatte, sein Denken völlig verwirrt hatten. Es war nämlich allzu begrenzt, als daß er anderes als die Beschwerden, die er gehabt hatte, hätte auffassen können. Und je länger sie sich in England aufhielten, desto mehr wurde mir deutlich, daß diese Auffassung richtig war. Denn ihre Bewunderung für das, was sie erlebten, nahm mit jedem Schritt zu und erweiterte ihren Horizont. Und zum Schluß fingen sie an, klarer den Nutzen, die Schönheit und den Zusammenhang in dem, was sie sahen, zu verstehen. Aber das Meiste entging ihnen wohl doch, ganz so, wie es Geschöpfen aus der Welt der Tiere ergangen wäre«[94].

Auch im 18. Jahrhundert lassen sich also an den dänischen Texten über Grönland die Spuren eines Sonderweges erkennen: Im 17. Jahrhundert bestand er in der Fortsetzung einer Praxis, die von anderen imperialen Mächten früher ausgeübt worden war: der königlich sanktionierten gewaltsamen Entführung und öffentlichen Zurschaustellung der kolonialen Subjekte. Im 18. Jahrhundert kam der lutheranisch-pietistischen Mission eine derart zentrale Rolle zu, daß abermals eine ganze Reihe von nunmehr freiwillig gekommenen Grönländern vor dem König und in aller Öffentlichkeit auftraten, um mit ihren Stimmen zu bezeugen, daß die Macht des Herrn bis in den äußersten Norden zu reichen vermag.

Paul Egede hat die späte, erst 1788 erfolgte Veröffentlichung seiner realistischen Schilderungen »der Zweifel grönländischer Heiden gegenüber etlichen Wahrheiten der

94 Cartwright 1792, Bd. I, S. 268f.

christlichen Religion« mit folgenden Worten zu begründen versucht:

> »Aber eine gewisse, damals vorherrschende eingeschränkte Denkweise in religiösen Dingen erlaubte es nicht, die Zweifel zu veröffentlichen, die die heidnischen Grönländer gegenüber etlichen Wahrheiten der christlichen Religion vorgebracht haben und die ich treulich in mein Tagebuch aufgenommen habe, weil ich meinte, daß sie für denkende Menschen interessant sein würden. Aber man befürchtete, daß sie die Begriffe der gemeinen Leute von Religion verwirren könnten, und man war in diesen Zeiten (vielleicht aus größerer Menschenliebe als heutzutage) mehr darum bemüht, das schwache gemeine Volk nicht zu verärgern, als darum, dem Philosophen Stoff zum Nachdenken zu geben«[95].

Paul Egede deutet mit diesen Worten an, daß er sich mit seinem wachen Ohr für die heidnischen Stimmen in Opposition zu den unter Christian VI. dominierenden pietistischen Strömungen befunden habe. Die Streitigkeiten zwischen Pietisten und Lutheranern sollten aber nicht darüber hinwegtäuschen, daß gerade deren Gemeinsamkeiten dem missionarisch-ethnographischen Realismus zugrunde liegen, der die dänisch-grönländischen Kolonialbeziehungen auch im 18. Jahrhundert im europäischen Vergleich zu einem Sonderweg machte.

Vielleicht hat ja eine – wenn auch nur vage – Erinnerung an die Brutalitäten des vorhergehenden Jahrhunderts eine Rolle gespielt. Zumindest andeutungsweise könnte sich dies an der ja nicht nur von Paul Egede oft geäußerten Kritik an der Vorgehensweise der Walfänger sowie der Praxis anderer Kolonialmächte genauer verfolgen lassen.

---

95 Paul EGEDE 1988, S. 14.

Im 19. Jahrhundert scheint alles wieder ganz anders geworden zu sein. Es würde den Rahmen dieser Einleitung weit überschreiten, wenn wir die vielen Veränderungen im einzelnen verfolgen würden. Zum besseren Verständnis der Rezeptionsgeschichte der bereits vorgestellten wie auch der zwei letzten Textbeispiele, der Erzählung über Kigutikkaaq und seine Europareise (Text X) und Knud Rasmussens Schilderung der Amerikareise des großen Lügners Uisâkavsak (Text XII), bedarf es aber zumindest einiger Andeutungen.

Zwar bedeutete die allgemeine politische Krise des frühen 19. Jahrhunderts einen deutlichen Rückgang, aber die Zahl der aus den verschiedensten Gründen nach Dänemark reisenden Grönländer scheint im 19. Jahrhundert kontinuierlich gewachsen zu sein. Ein Blick auf die zunehmend unüberschaubaren Quellen zu diesen Reisen läßt zweierlei erkennen: Erstens zeigt sich eine deutliche Tendenz zur Institutionalisierung dieser Reisen, die in einer Reihe von Denkschriften zur Regulierung der Ausbildung von jungen Grönländern in Dänemark als Handwerker, Katecheten, Geburtshelfer und in anderen Berufen zum Ausdruck kommt und in der Errichtung eines Grönländerheims in Kopenhagen 1888 kulminiert[96]. Zweitens kommt diese Institutionalisierung darin zum Ausdruck, daß in den Quellen nur noch überaus selten und sporadisch von den Eindrücken, Ansichten und Meinungen der Zugereisten über dänische Zustände und Verhältnisse die Rede ist; auch werden sie jetzt nur noch in Ausnahmefällen dem Monarchen vorgestellt[97].

---

96 Bertelsen 1945, S. 60ff.

97 Ähnliches scheint übrig<ens auch für andere Grönländer zu gelten, die im 19. Jahrhundert nach Europa gelangten. Von dem Nordgrönländer Kallihirua zum Beispiel, der 1851 auf die Initiative der Society for the Propagation of the Gospel in Foreign Parts nach Canterbury kam, um sich am St. Augustine's College unterweisen zu lassen, ist aus seiner eigenen Feder wenig mehr über seine Er-

Bei Rasmus Berthelsen zum Beispiel, dem Verfasser der angeblich frühesten grönländischen Selbstbiographie, heißt es über seine Ankunft in der dänischen Hauptstadt: »Welch ein Anblick. Ich brauche es nicht zu erzählen«[98]. Und als Lars Møller, der nach Dänemark geschickt worden war, um in die Buchdruckerlehre zu gehen, an seinem 20. Geburtstag – auch dies ganz anders als früher! – zu Friedrich VII. auf Schloß Fredensborg gebeten worden war, hat sich ein Wortwechsel abgespielt, der in der Tat nicht mehr viel mit den königlich-grönländischen Begegnungen des 17. oder 18. Jahrhunderts gemein zu haben scheint:

»Der König sagte: ›Dies ist das erste Mal, daß ich einen Grönländer sehe‹, worauf der junge Lars kaltblütig replizierte: ›Und es ist das erste Mal, daß ich einen König sehe‹«[99].

Aus den oft spektakulären Einzelfällen war im 19. Jahrhundert zunehmend institutionalisierte Routine geworden. Aber gerade Lars Møllers spätere Karriere als Buchmacher in Grönland verweist uns auf eine weitere, tiefgreifende Veränderung der dänisch-grönländischen Austauschbeziehungen im 19. Jahrhundert, die sich auch an der Rezeptionsgeschichte von Pooqs »Dialog mit seinen Landsleuten« (Text I) ablesen läßt.

---

fahrungen in England überliefert als der folgende Brief: »E. York, St. Augustine's College, April 1853. My dear Sir, I am very glad to tell, How do you do, Sir? I been England, long time none very well. Long time none very well. Very bad weather. I know very well, very bad cough. I very sorry, very bad weather, dreadful. Country very difference. Another day cold. Another day wet, I miserable. Another summer come. Very glad. Great many trees. Summer beautiful, country Canterbury.« Ich zitiere nach Kleivan 1999, S. 90f. Inge Kleivan beschreibt in ihrem Artikel sehr einfühlsam und umsichtig die Lebensgeschichte Kallihuras, der 1856 an einer Lungenkrankheit starb.

98 Zitiert nach Bertelsen 1945, S. 80.

99 Zitiert nach Bertelsen 1945, S. 87. Lars Møllers eigenhändig verfertigter Lebensbericht schließt charakteristischerweise genau zum Zeitpunkt der Abreise nach Dänemark. Siehe dazu Oldenow 1957, S. 219–221.

Abgesehen von einer primitiven Handdruckerei, die der Missionar Jesper Brodersen 1790 in Neu-Herrnhut installierte, nimmt die Geschichte des Buchdrucks in Grönland ihren Anfang mit der Druckerei, die der Geologe und Kolonialverwalter Johann Hinrich Rink (1819–1893) 1857 mit nach Godthaab brachte. Nach anfänglichen Experimenten mit einem Katechismus und einem Heft über Hans Egede konnte noch im selben Jahr das erste in Grönland gedruckte Buch in 250 teils illustrierten, teils auch kolorierten Exemplaren erscheinen. Auf dem Titelblatt des insgesamt 18 Seiten umfassenden Werkes steht zu lesen: *Pok. kalakek avalangnek, nunalikame nunakatiminut okaluktuartok. Angakordlo palasimik napitsvdlune agssortuissok. adlagkat pisorkat navssarissat nonmiut ilanit*, aber der Inhalt geht überdies aus der in dänischer Sprache verfaßten Rückseite des Pappeinbands hervor:

»Pooq, ein Grönländer, der gereist ist und bei seiner Rückkehr darüber seinen Landsleuten berichtet, und der Angekok[100], der dem Pfarrer begegnet und mit ihm disputiert. – Nach alten Handschriften, gefunden bei Grönländern in Godthaab. – Alle Einnahmen sollen von der Vorsteherschaft unter die Witwen verteilt werden, die ihre Männer bei der Jagd im Kajak verloren haben. – Godthaab 1857. Gedruckt von R. Berthelsen und L. Müller, Peles Sohn, in der Buchdruckerei des Inspektors«[101].

Der erste Teil des Buches besteht, wie nach dem bisher Gesagten zu erwarten, aus einer Wiedergabe des »Dialogs von Pooq mit seinen Landsleuten« in grönländischer Sprache, so wie ihn Paul Egede fast 100 Jahre zuvor Wort für Wort im Anhang zu seiner *Grammatica Groenlandica Danico-Latina* veröffentlicht hatte. Von Paul Egedes Version unterscheidet sich der Text nur durch die Auslassung der bei Egede

---

100 Angekok (grönländisch: angakkoq, pl. angakkut): Geisterbeschwörer oder Schamane, in der zeitgenössischen Literatur oft auch als »Hexenmeister« bezeichnet.

101 Eine liebevoll detaillierte bibliographische Beschreibung findet sich bei OLDENDOW 1957, S. 50–59.

Pok,

en Grönlænder, som har reist og ved sin Hjemkomst fortæller derom til sine Landsmænd

og

Angekokken

som möder Præsten og disputerer med ham.

Efter gamle Haandskrifter, fundne hos Grönlændere ved Godthaab.

HELE INDTÆGTEN SKAL AF FORSTANDERSKABERNE DELES MELLEM ENKER, SOM HAVE MISTET DERES MÆND VED KAJAKFANGST.

GODTHAAB.1857.
Trykt af R: Bertelsen. og L: Möller, Peles Sön, i Inspecteurens Bogtrykkeri.

Abb. 6: Titelblatt des 1857 in Godthaab erschienenen Buchs über Pooq und seine Reise nach Dänemark parallel gedruckten dänischen und lateinischen Übersetzungen. Entscheidend aber ist ein anderer Unterschied, daß nämlich nicht etwa Paul Egedes Version, sondern »bei Grönländern in Godthaab gefundene alte Handschriften« als Druckvorlage angegeben werden. Es ist natürlich nicht auszuschließen, daß tatsächlich Abschriften von Paul Egedes Verarbeitung der Notizen seines Vaters in Godthaab im Umlauf gewesen sein könnten[102], aber das Verschweigen der wahren Urheberschaft des Textes diente einem bestimmten politischen Zweck: nicht ein dänischer Missionar, Bischof und Lehrbuchverfasser, sondern anonyme Grönländer sollen als die eigentlichen Autoren herausgestellt werden, um dadurch letztlich Pooq als wahrhaft grönländischen Helden und Traditionsbegründer erscheinen zu lassen.

Aus dem Titelblatt geht darüber hinaus hervor, daß an der Herstellung des Buches zwei namentlich genannte Grönländer, nämlich Rasmus Berthelsen und Lars Møller, beteiligt gewesen sind, denen wir schon begegnet sind, als davon die Rede war, daß die nach Dänemark reisenden Grönländer des 19. Jahrhunderts in den Quellen kaum mehr mit ihren Ansichten und Einschätzungen dänischer Zustände und Verhältnisse auftreten.

Lars Møller, 1842 als Sohn dänisch-grönländischer Eltern bei Godthaab geboren, war, als das Buch erschien, nur fünfzehn Jahre alt und noch Lehrling. Aber zwei Jahre später wurde er von dem ebenfalls auf dem Titelblatt zumindest angesprochenen Vorsteher, Johann Henrich Rink (1819–1893), nach Kopenhagen geschickt, um dort für acht Monate in den Genuß einer Buchdruckerlehre zu kommen. Der 1827 in Sisimut (Holsteinsborg) als Sohn eines Robbenfängers geborene Rasmus Berthelsen hatte dahingegen schon 1843 seine Reise nach Dänemark angetreten, um sich an einer pädago-

102 Ein diesbezüglicher Hinweis findet sich bei Rink 1877, S. 213. Siehe hierzu auch Kleivan 1961, S. 265.

Abb. 7, 8, 9 und 10: In der 1857 in Nuuk (Godthaab) erschienenen Ausgabe von Pooqs Gesprächen mit seinen Landsleuten nach seiner Heimkehr hat ein anonymer Künstler den Text mit Holzschnitten versehen. (7:) Pooq und sein Kammerat fahren zu dem grossen Haus des Königs.

gischen Hochschule für seine spätere Tätigkeit am 1845 errichteten Katechetenseminar in Godthaab vorzubereiten.

Sowohl Lars Møller als auch Rasmus Berthelsen haben in ihren autobiographischen Aufzeichnungen, wie gesagt, erstaunlich wenig über ihre Erfahrungen in Dänemark berichtet. Ihre Beteiligung an der Entstehung des grönländischen Buchs über Pooq kann aus dieser Perspektive als eine Art Ersatzhandlung verstanden werden, durch die die kollektive Erinnerung an die Stelle der eigenen Erfahrungen getreten ist.

In genau dieselbe Richtung deutet das nächste größere Publikationsprojekt der Rinkschen Buchdruckerei in Godthaab, die vierbändige, zweisprachige Sammlung *Grönländische Volkssagen. Aufgezeichnet und mitgeteilt von Eingeborenen. Mit dänischer Übersetzung*, die in den Jahren 1859 bis 1863 erschienen ist. Auch hier ist auf dem Titelblatt ausdrücklich angegeben, daß die Bände von »L. Müller, unter

Aufsicht von Hilfslehrer R. Berthelsen« (Band 1 und 2), oder nur »Lars Møller« (Band 3 und 4) »in der Druckerei des Inspektorats« gedruckt worden sind. Und in diesem, ebenfalls von Rink unterstützten Prestigeprojekt haben nicht nur Lars Møller und Rasmus Berthelsen, sondern die »eingeborenen« Einsender und Mitteiler insgesamt an der Etablierung eines kollektiven Bewußtseins, einer kollektiven Erinnerung, mitgewirkt.

Unter der wohlwollenden Schirmherrschaft von Johann Henrich Rink, der seinen Ruhm zunächst als Geologe begründete und später mit den sogenannten Vorsteherschaften (»forstanderskaber«) eine frühe Form der Selbstverwaltung in Grönland eingeführt hat, entfalteten nicht nur Rasmus Berthelsen und Lars Møller, sondern auch viele andere Grönländer seit Mitte des 19. Jahrhunderts eine derart allseitige kulturelle Produktivität, daß man zu Recht von einer grönländischen Renaissance sprechen kann, einer Renaissance, die wie zum Beispiel diejenige in Bengalen ebenfalls aus einer Wechselwirkung zwischen kolonialen und einheimischen Interessen und Kenntnissen herzuleiten ist. Nicht nur die Druckerei in Godthaab (und die in Neu-Herrnhut, wo der unter anderem aufgrund seiner grönländischen Rechtschreibreform berühmte Samuel Kleinschmidt ungefähr zur gleichen Zeit seine umfassende Tätigkeit aufnahm[103]), sondern auch Rinks als Grundlegung der modernen Eskimologie gefeierten, international beachteten und anderswo gedruckten Studien zur grönländischen Mythologie[104] haben so viele verschiedenartige grönländische Stimmen so ausgiebig zu Worte kommen lassen, daß daraus ein wahrer Chor geworden ist[105]. Die im 18. Jahrhundert noch deutlich hörbaren

---

103 Siehe dazu ausführlich Oldenow 1957, S. 154–184.

104 Rink 1866–1871; Rink 1875. Zu Rink und seiner Bedeutung siehe auch Oldenow 1955.

105 Zur Einführung in die Vielseitigkeit dieser grönländischen Renaissance, die besonders auch in künstlerischer Produktivität zum Ausdruck gekommen ist, siehe Oldenow 1957 aus buch- und druckge-

Abb. 8: Pooq und sein Kammerat betreten die Vorstube des Königs.

Einzelstimmen sind in diesem Chor nicht mehr so klar herauszuhören – und sollten und wollten auch nicht mehr als Einzelstimmen, sondern als »Stimme des Volkes« wahrgenommen werden.

Die im vierten Band der Sammlung *Grönländische Volkssagen* abgedruckte Erzählung über Kigutikkaaq und seine unfreiwillige Reise nach Europa (Text X) stammt charakteristischerweise und im Gegensatz zu vielen anderen Sagen von einem anonymen Mitteiler. An gerade dieser »Volkssage« läßt sich der Abstand besonders deutlich ablesen, der die romantische Version der grönländischen Europareise von den pietistisch-aufgeklärten Vorgängern des 18. Jahrhunderts trennt. An die Stelle der im 18. Jahrhundert so aufmerksam verfolgten individuellen Erfahrungen zeitgenössischer grönländi-

---

schichtlicher Perspektive sowie z. B. Knuth 1960, Kaalund 1997, Thisted 1997 und 1999.

scher Besucher ist im 19. Jahrhundert die kollektive Erinnerung an die Erfahrungen und Erlebnisse der Vorfahren getreten, die wie Pooq oder Kigutikkaaq früher einmal nach Europa gereist waren. Die meisten der in anderen grönländischen Volkssagen auftretenden Kablunakken[106] oder Europäer gehören ebenfalls einer fernen Vergangenheit an, denn hier ist von den Skandinaviern die Rede, die schon im Mittelalter nach Grönland gekommen waren. Gerade das Schicksal der Nachfahren dieser ersten europäischen Siedler stand schon seit Hans Egede im Zentrum des dänischen Interesses an den historischen Überlieferungen der Grönländer[107].

Mit der grönländischen Renaissance des 19. Jahrhunderts haben sich die Mechanismen und Bedingungen der dänisch-grönländischen kolonialen Austauschbeziehungen abermals derart radikal verändert, daß sich scheinbar kaum noch Spuren der Kontinuität zu den für das 17. oder 18. Jahrhundert charakteristischen Traditionen erkennen lassen. Dennoch deutet sich gerade an der Umformung von Pooqs Dialog mit seinen Landsleuten zu einer Art grönländischer Ursprungslegende und an der Herausbildung eines gemeinsamen dänisch-grönländischen historisch-mythologischen Interesses an der Vergangenheit ein Wechsel der Perspektive an, der die koloniale Abhängigkeit nicht etwa aufhebt, sondern im Gegenteil eben dadurch verstärkt, daß nunmehr die Stimmen einzelner Grönländer in erster Linie als Stimmen des grönländischen Volkes, als Zeugnis und Veranschaulichung einer angeblich allen Grönländern gemeinsamen Vergangenheit, Tradition und Überlieferung wahrgenommen werden konnten.

Besonders nachdrücklich läßt sich die für das 19. Jahrhundert charakteristische historisch-mythologische Perspektivenverschränkung an einem 1842 in Kopenhagen erschienenen historischen Roman verfolgen, in dem der Be-

---

106 Der Name »Kablunakken« (grönländisch qallunaaq, pl. qallunaat) bedeutet eigentlich bloß »weiße Menschen« und meint also die Europäer.

107 Über die Nordländersagas informiert umfassend Kleivan 1982.

Abb. 9: Pooq und sein Kammerat gehen in europäischer Kleidung in der Stadt spazieren.

gründer dieser Gattung in Dänemark, Bernhard Severin Ingemann (1789–1862), eine der von Paul und auch Niels Egede porträtierten Grönländerinnen (siehe Text III, IV und V) eine Schlüsselrolle spielen läßt[108].

In erster Linie geht es in *Kunnuk und Naja oder die Grönländer* um eine Liebesgeschichte: Der junge, starke und mutige Robbenfänger Kunnuk kann sich mit seiner auserkore-

108 Siehe hierzu Kleivan 1961. Interessanterweise beschließt Ingemann seinen Roman auch mit einem vergleichend-mythologischen Nachwort (Ingemann 1842, S. 225–235), worin er die Ähnlichkeiten zwischen den Erzählungen der Grönländer einerseits und der klassischen und anderen heidnischen Mythologien aufzuzeigen versucht. Mit seinem Interesse für die Mythologie hat Ingemann der einschlägigen Forschung um mehr als zwei Jahrzehnte vorgegriffen. Erst Rink, den Ingemann in der Schule unterrichtet hatte, hat die grönländischen Erzähltraditionen systematisch zu erfassen versucht. Für eine moderne Einschätzung von Ingemanns mythologischen Bestrebungen siehe Kleivan 1961, S. 254–256.

nen wunderhübschen Naja unglücklicherweise nicht vereinen, weil er nach dem heidnischen Gesetz der Blutrache zuerst den Mord rächen muß, den Kemek, ein Verwandter Najas, an seinem Vater verübt hat. Kunnuk folgt zunächst seinem heidnischen Instinkt und Gebot und will Kemek töten, läßt sich aber schließlich von verschiedenen Angehörigen und Missionaren zu christlicher Nächstenliebe überreden, um, statt sich an Kemek heidnisch zu rächen, ihm christlich zu vergeben. Finale: Kunnuk vergibt seinem Erzfeind Kemek erst, als Kemek schon verstorben und unter Steinen begraben liegt. Als Kunnuk jedoch über dem Grab seines Widersachers in laute Trauer ausbricht, stellt sich heraus, daß Kemek noch am Leben ist und im Grabe jammert. Kunnuk und Naja entfernen die Steine, Kunnuk vergibt unter Tränen dem wiederauferstandenen Erzfeind, und jetzt hat alles Leiden schließlich ein Ende: Christliche Nächstenliebe und die Beziehung zwischen Kunnuk und Naja erringen letztlich den Sieg über den ewigen Kreislauf der heidnischen Blutrache.

Ingemanns Roman, der sich nicht nur im Referat als frommer Kitsch ausnimmt, läßt erkennen, daß die Legitimität der dänischen Kolonialherrschaft sich auch im 19. Jahrhundert in erster Linie aus dem christlichen Missionsauftrag herleitet. Statt jedoch wie im 18. Jahrhundert die Stimmen einzelner und oft nach ihrem Taufnamen benannter bekehrter Grönländer als Hauptzeugen auftreten zu lassen, spielen nunmehr Geschichte und Mythologie, die gemeinsame Erinnerung und Vergangenheit, die entscheidende Vermittlerrolle.

Kunnuks Bekehrung und Umkehr vollziehen sich langsam und schrittweise durch den mehr als 300 Seiten umfassenden Roman. Die meisten der entscheidenden Szenen und Dialoge finden an einem ganz bestimmten Ort statt: dem Zelt der weisen alten Grönländerin Arnarsaaq, die als Zeugin und Zuhörerin zwischen den heidnischen und christlichen Stimmen und Welten zu vermitteln vermag und schließlich auch entscheidenden Anteil an der Umkehr Kunnuks und damit am glücklichen Ausgang und Ende der ganzen Geschichte hat.

Abb. 10: Pooq und sein Kammerat gehen in den Wald.

Anders als Naja hat Ingeman die Figur Arnarsaaqs (und viele andere) aufgrund der ihm vorliegenden historischen Quellen, also vor allem der Aufzeichnungen von Paul Egede, konstruiert[109]. Am deutlichsten geht dies aus dem vierten Kapitel des Romans hervor, in dem Ingemann ausgiebig schildert, wie Arnarsaaq sich verhält, als ihr 35 Jahre nach ihrer Reise nach Dänemark im Jahre 1740 Paul Egedes Aufzeichnungen über diese Reise, auf der sie von dem jungen Tullimak begleitet worden war, von Niels Egede, dem Kaufmann und Bruder Pauls, vorgelesen werden. Aus Arnarsaaqs Reise nach Dänemark ist hier buchstäblich Geschichte geworden,

109 Ingemann hat neben Paul Egedes Schriften insbesondere die Aufzeichnungen Hans Egede Saabyes, die 1816 erschienen waren, ausgiebig benutzt (Kleivan 1961, S. 244).

eine Vergangenheit, der sich Arnarsaaq zuhörend vergewissert und in Andacht verpflichtet fühlt (siehe Text XI).

Arnarsaaqs Reise nach Dänemark, also in das »Land des großen Herrn«, gleicht einer Pilgerreise nach Jerusalem, also Kopenhagen, und hat ihr diametrales Gegenstück in einem anderen Reisebericht, der wenige Kapitel später ebenfalls in Arnarsaaqs Zelt und in ihrer Gegenwart vorgetragen wird. Diesmal aber werden nicht etwa alte Dokumente von einem dänischen Kapitän verlesen, sondern gleichsam homerische Verse von einem alten, heidnischen Angekok namens Elik vor den versammelten Dänen und Grönländern rezitiert. In dieser Séance ist nicht von einer Pilgerreise in das Land des großen Herrn, sondern von der Fahrt des Schamanen in die Tiefe des Meeres die Rede, wo er mit der Unterstützung seiner Hilfs- und Schutzgeister die schrecklichsten Gefahren überwinden muß, um die ehrfurchtgebietende Herrin über die Meerestiere und das Wohl und Leben der Menschen, die von diesen Tieren leben, zu überlisten und sie wieder gütig zu stimmen[110].

Eliks mythisch-epische Fahrt in die Tiefe des Meeres verhält sich zu Arnarsaaqs historisch-autobiographischer Pilgerreise nach Dänemark wie das heidnische Gesetz der ewigen Blutrache zum christlichen Gebot des Vergebens und der Nächstenliebe. Kunnuk und Naja können dem Fluch und der Verdammung nur dadurch entkommen, daß sie der Reise des Schamanen in die Tiefe des Meeres und zur Herrin über die Tiere entsagen, um ihr Heil und Überleben statt dessen dem Allmächtigen anzuvertrauen, der Arnarsaaq im Lande des großen Herrn durch Paul Egede vergegenwärtigt und offenbart worden war. Kurz nach Eliks epischem Auftritt entsagt auch er seiner heidnischen Vorzeit und bereitet

110 Trotz der ungewöhnlichen Versform verhält sich Ingemann relativ treu zu früheren Schilderungen einer derartigen Schamanenreise, insbesondere der von Paul Egede. Siehe hierzu Kleivan 1961, S. 251–253.

Abb. 11, 12, 13: Kigutikkaaq in Europa. Drei Lithographien eines anonymen grönländischen Illustrators zu der 1859–63 in Nuuk (Godthaab) gedruckten Sammlung grönländischer Volkssagen.

dadurch das große Happy-End vor: die Wiederauferstehung des Erzfeinds, an dem Kunnuk sich nicht länger rächen muß und statt dessen seiner geliebten Naja in die Arme fallen kann.

Ingemanns Roman ist in mehr als einem Sinne des Wortes historisch. Daß Kunnuk und Naja sich schließlich kriegen und umarmen, wird den Interventionen und Erfahrungen historisch belegter Figuren wie Arnarsaaq, Paul und Niels Egede zugeschrieben. Und Arnarsaaqs ebenfalls durch die historischen Quellen belegte Pilgerreise ist von heilsgeschichtlicher Bedeutsamkeit, gerade weil sie an die Stelle der heidnischen, mythisch-epischen Reisen zur Urgroßmutter des Teufels in der Tiefe des Meeres getreten ist. Pooqs Entdeckungsreise und Arnarsaaqs Pilgerfahrt waren im 18. Jahrhundert Anlaß zu pietistisch-aufgeklärter Zivilisationskritik, Selbstbespiegelung und Selbsthinterfragung. Im 19. Jahrhundert ist aus diesen Reisen Geschichte, ja Heilsgeschichte geworden: eine Vergangenheit, deren sich sowohl Grönländer wie Dänen gemeinsam erinnern und die sie weiterhin unentrinnbar auf ihre gegenseitige, asymmetrische Abhängigkeit verpflichtet.

Schamanismus und Konklusion

Ausgehend von der Gewaltsamkeit, mit der zu Anfang des 17. Jahrhunderts heidnische Grönländer zum Hof des dänischen Königs verschleppt und dort ausgestellt und vorgeführt worden waren, sind wir einer langen Reihe von Grönländern gefolgt, deren Reisen nach Dänemark in sehr verschiedener Weise meist von anderen, manchmal aber scheinbar auch von ihnen selbst mehr oder weniger ausführlich geschildert und beschrieben worden sind. Erst ganz am Schluß unseres historischen Panoramas grönländischer Reisen sind wir auf eine Art des Reiseberichts gestoßen, die unter den Grönländern – und allgemeiner den Inuit – ganz unabhängig von und schon lange vor der Ankunft dänischer

Schiffe, Seeleute und Missionare allgemein verbreitet und bekannt gewesen zu sein scheint.

Die Fahrt des Schamanen in den Himmel oder in die Tiefe des Meeres zur Herrscherin über die Tiere der See ist zuerst von Hans Egede, später aber auch von einer Vielzahl anderer Missionare und Ethnographen ausführlich beschrieben worden. In einer der frühesten Schilderungen, bei Hans Egede, heißt es:

> »Unter den anderen groben Lügen, die die Angekutten den anderen dummen und leichtgläubigen Armen einreden, ist auch diese: daß sie, obwohl man ihnen Hände und Füße fesselt, in den Himmel hinauffahren können, um dort zu erfahren, wie die Dinge stehen, und auch in die Hölle oder in die Tiefe der Erde, wo Torngarsuk seinen Wohnsitz hat. Ein neuer Angekok muß seine Reise dorthin im Herbst verrichten, da sie der Meinung sind, daß dann der unterste Himmel, also der Regenbogen, der Erde am nächsten stehe. Sie verrichten dies auf folgende Weise: Nachdem sich die Zuschauer des Abends, wenn es dunkel geworden ist, in einem Haus versammelt haben und jeder seinen Platz eingenommen hat, läßt sich der Angekok mit einem dicken Riemen fesseln, den Kopf zwischen den Beinen und die Hände auf dem Rücken. Eine Trommel wird an seine Seite gelegt. Und nun, nachdem die Fenster von außen zugedeckt und die Lichter gelöscht worden sind, fangen sie an, ein Lied zu singen, das ihre Vorväter gedichtet haben sollen. Nach diesem Gesang fängt der Angekok an zu hexen, zu schreien und zu murmeln und Torngarsuk herbeizurufen, damit er zu ihm sprechen möge, so daß die anderen es hören können (und hier vermag er listig seine Stimme zu verstellen, so daß die Anwesenden nichts anderes wissen, als daß Torngarsuk es sei, der mit ihm spricht). Indessen arbeitet er sich von seinen Fesseln los und fährt in ihrer Vorstellung durch das Dach hindurch

und durch die Luft, bis er in den höchsten Himmel kommt«[111].

Ob in den Himmel oder in die Tiefe des Meeres zu Torngarsuk: von anderen Reisen und Reiseberichten unterschieden sich diese vertikalen Fahrten nicht zuletzt dadurch, daß sie, zumindest unseren beschreibenden Augenzeugen zufolge, erstens eigentlich überhaupt nicht stattgefunden haben und daß zweitens der reisende Schamane von Anfang an schon während der Fahrt und nicht etwa erst nach der Heimkehr von seiner Reise berichtet. Die vertikalen Schamanenreisen gelten bei Hans Egede und seinen unzähligen Nachfolgern als Inbegriff des Heidentums und Aberglaubens, die sie als Missionare zu bekämpfen und zu beseitigen trachteten, als Ethnographen zugleich jedoch dokumentieren, beschreiben und verstehen wollten.

Nicht nur Hans Egede, sondern auch alle späteren Beobachter waren bis auf den heutigen Tag angesichts der vertikalen Reisen eines Schamanen einem fundamentalen Dilemma ausgesetzt: Den Worten und Lauten, dem ekstatischen Stöhnen, Pusten, Prusten, Murmeln, Ächzen und Beschwören, den Zuckungen und rhythmischen Spasmen des reisenden Schamanen konnten sie nur um den Preis der Glaubwürdigkeit ihrer eigenen Reisebeschreibung Glauben schenken[112]. Die frühen Missionare haben sich über dieses Dilemma kraft ihres Glaubens leicht hinwegsetzen können. Spätere Reisende und Ethnographen wie zum Beispiel Knud

---

111 Hans Egede 1741, S. 111f. Von anderen frühen Beschreibungen schamanistischer Praktiken scheinen sich die Schilderungen von Hans und Paul Egede nicht zuletzt durch die Ausführlichkeit zu unterscheiden, mit der sie die Reisen des Schamanen in den Himmel oder in die Tiefe des Meeres beschrieben haben. Siehe zum europäischen Vergleich Flaherty 1992.

112 Zu diesem Dilemma und den Reisebeschreibungen von Hans und Paul Egede sowie Knud Rasmussen siehe auch Harbsmeier 1992.

Rasmussen haben viel unternommen, den Zwiespalt zum Beispiel dadurch zu umgehen, daß sie es ihren Informanten wie etwa einem ehemaligen, zur Zeit des Interviews jedoch abgedankten und versoffenen Schamanen überlassen haben, über die Séancen von damals, als dergleichen noch gang und gäbe war, Bericht zu erstatten, um diese Schilderungen dann getreulich aufzuzeichnen und in ihren eigenen Reiseberichten wiederzugeben.

Vor dem Hintergrund dieses Dilemmas erklärt sich vielleicht besser, warum den horizontalen Reisen der Grönländer nach Dänemark, von denen in diesem Buch die Rede ist, durchgehend etwas Unwirkliches anhaftet. Zwar kann kein Zweifel daran bestehen, daß die Körper der im 17. Jahrhundert geraubten Grönländer tatsächlich nach Kopenhagen verfrachtet und dort zur Schau gestellt worden sind und sie dann wenig später dort gestorben sind; zwar ist es auch über jeden Zweifel erhaben, daß Pooq und Qiperoq sowie deren Nachfolger im 18. Jahrhundert tatsächlich in Dänemark gewesen sind und mit Friedrich IV. und Paul Egede und vielen anderen Dänen gesprochen haben; zwar kann es ebenfalls nicht angezweifelt werden, daß sich zahlreiche Grönländer im 19. Jahrhundert in Dänemark zu Handwerkern und Katecheten haben ausbilden lassen. Aber wenn man den Texten nähertritt, in denen diese verschiedenen Reisen geschildert und beschrieben werden, stellt sich durchgehend die Frage, ob diese Worte nun wirklich aus dem Munde (oder der Feder) eines wirklichen, authentischen Grönländers stammen oder ihm beziehungsweise ihr von anderen in den Mund gelegt oder gar, wie buchstäblich in Ingemanns Roman, bloß vorgelesen und unter Tränen als die eigenen wiedererkannt worden sind.

In den Reiseberichten anderer kommt der Schamane selbst nur um den Preis seiner Glaubwürdigkeit zu Wort. In ihren »horizontalen« Reiseberichten scheinen die Grönländer sich kaum jemals gänzlich dem Verdacht entziehen zu können, in Wirklichkeit unter Zwang oder aus freiem Willen mit fremder Zunge zu sprechen.

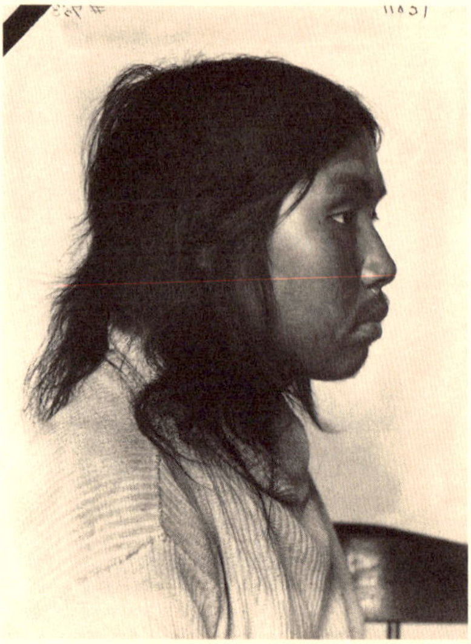

Abb. 14 a, b, c: Uisâkavsak wurde als 22-jähriger in den USA von einem professionellen Anthropologen fotografiert.

Das scheint sich auch im 20. Jahrhundert nicht grundlegend geändert zu haben[113]. Knud Rasmussens Porträt des »großen Lügners« (Text XII) stammt aus dem Jahr 1915. Auch hier bestätigt sich scheinbar noch einmal, daß der Leser im Gegensatz zu seinen Stammesgenossen eben nur deshalb den Worten des großen Lügners Uisâkavsak vertrauen kann, weil dieser aufgrund seiner jugendlichen Reise nach Amerika seinem Stamm eigentlich gar nicht länger zugehört, sondern, jedenfalls was seine Mentalität betrifft, sich in einen Kolonisator verwandelt hat. Umgekehrt erklärt eben dies dann auch, warum er von seinen Stammesgenossen derart nachdrücklich ausgelacht und geächtet worden ist. Ent-

113 Dies ließe sich sicherlich auch an dem wohl spektakulärsten Beispiel des frühen 20. Jahrhunderts nachweisen, der Geschichte des Polareskimos Minik, der 1897 von Robert Peary als Kind mitsamt seinen Eltern nach New York gebracht worden ist und später im American Museum of Natural History das Skelett seines verstorbenen Vaters entdeckte, den man nur zum Schein begraben hatte. Bei seiner Rückkehr nach Grönland 1906 war er seiner Muttersprache nicht länger mächtig. Siehe hierzu Harper 1986 und erschöpfend Gilberg 1994.

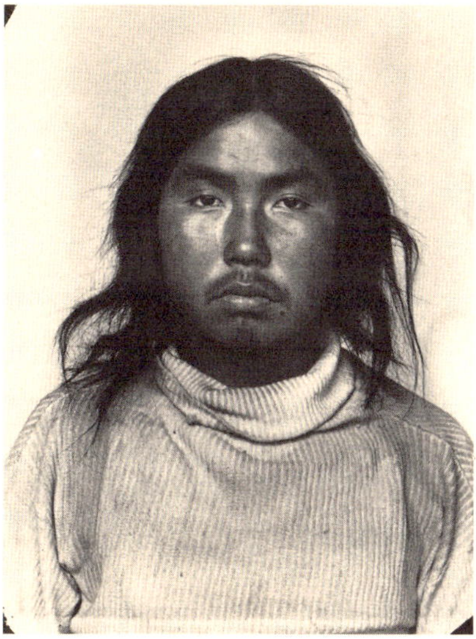

weder sagt er die Wahrheit und gibt damit auf, ein echter Grönländer zu sein, oder aber er verhält sich wie ein Grönländer und verzichtet damit zwangsläufig auf die wahre Erkenntnis.

Vor dem nur allzu suggestiven Hintergrund der vertikalen Mobilität des Schamanen haben die horizontal nach Dänemark oder in die Vereinigten Staaten reisenden Grönländer, denen dieses Buch gewidmet ist, kaum eine wirkliche Chance gehabt, gehört und um der Wahrhaftigkeit ihrer Berichte willen gelesen zu werden. In Wirklichkeit aber – und eben deshalb habe ich den Schamanen erst hier an der allerletzten Stelle in meiner einleitenden Leseanleitung auftreten lassen – sind die Texte von und über den grönländischen Reisenden eben deshalb von so großem Interesse, weil sie sich den kolonialen und missionarischen Vereinfachungen dennoch entziehen. Wie der große Lügner Uisâkavsak sein Renland, so haben die anderen grönländischen Reisenden ihr je eigenes Dänemark entdeckt und zu beschreiben versucht. Die beteiligten dänischen Eroberer, Chronisten, Missionare, Historiker und Romanschriftsteller hatten dabei ohne Zweifel immer ihre mehr oder weniger wohlwollenden und hilfreichen oder auch grausamen und unerbittlich gebietenden Finger im Spiel. Aber die Grönländer selbst haben dabei ebenfalls ihre eigenen Erfahrungen gemacht, durchlebt und sich zurechtgelegt. Es sei dem Leser überlassen, den Spuren und Narben dieser Erfahrungen in den folgenden Texten selbst zu folgen.

Texte

I. Gespräch zwischen Pooq dem Grönländer und seinen Landsleuten nach seiner Rückkehr aus Kopenhagen

Die folgende Übersetzung folgt dem dänischen Text, der von Paul Egede 1760 in seiner *Grammatica Groenlandica Danico-Latina* veröffentlicht worden ist (Egede 1760, S. 214–239).

Pooq: Nach innerlicher Vorerwartung sehe ich Euch.

Simik: Du bist unerschrocken gewesen, über das große Meer zu fahren.

Pooq: Ich habe das Meer weit sich erstreckend gefunden, wir haben zwei Monate lang kein Land gesehen.

Kyaut: Jetzt hast Du das Land der Kablunakken gesehen. Wo ist Dein Freund?

Pooq: Er verstarb im Frühjahr, im Land der Langbärtigen.

Kyaut: Du hast viel Erzählenswertes erfahren.

Pooq: Ich habe mich in der Menge meiner Erzählungen verlaufen.

Kyaut: Bist Du nicht in dem Land des Königs, des Höchsten Herrn, gewesen?

Pooq: Ja. Wir stachen in See aus dem Land der Bärtigen und kamen am dritten Tag in das Land des Königs. Vorher sahen wir Land, sahen wir hohe Häuser und große Schiffe vor Anker liegen. Das Land hat keine Berge, sondern ist ganz flach.

Kyaut: Verwunderlich.

Pooq: Das Haus des Königs und die Kirchen ragen über alles hinaus, ihre Höhe kann mit dem Bogenpfeil nicht erreicht werden.

Persok: Du bist wohl darinnen gewesen, Du hast vielleicht auch das Haus des Königs gesehen?

Pooq: Sicherlich. Als wir vor der Stadt (der »Häusersammlung«) vor Anker gingen, wurden ich und mein verstorbener Freund mit einem schön bemalten Boot mit 14 Rudern geholt, aber da wir lieber neben ihnen in unseren Kajaks rudern wollten, ruderten wir für uns selbst, aber welche Menge von Zuschauern am Strand! So viel wie Mücken.

Persok: Hattest Du keine Angst?

Pooq: Nein. Sie führten uns zu einem Schlitten mit einem Haus darauf, das Fenster auf beiden Seiten hatte. Denn wir sollten beide zu dem großen König.

Persok: Er hat sicher ein großes Haus.

Pooq: Das Haus ist wie ein großer Eisberg, mit einem Mantel bedeckt. Der Eingang war so groß, daß dort 20 Zelte stehen konnten, auf beiden Seiten waren vielfältige, wohlgekleidete bewaffnete Leute.

Persok: Warum sind die Leute bewaffnet? Sind es vielleicht Jäger, die Rentiere und Robben schießen?

Pooq: Nein, das zeigt, daß der große Herr in dem Haus wohnt. Von diesen bewaffneten Leuten, die uns zahllos vorkamen, werde ich ein andermal erzählen.

Persok: Erzähl weiter, es ist angenehm zu hören.

Pooq: In dem erschreckend großen Haus sind vielfältige große, schön gemalte und strahlende Zimmer.

Persok: Sie sind unseren schmutzigen Erdhäusern nicht ähnlich.

Pooq: Vor den Türen zu allen Zimmern standen Bewaffnete. Schließlich kamen wir mit einem zahllosen Gefolge in ein sehr großes Zimmer, wo viele Bewaffnete standen, von den Allergrößten, deren Waffen einen schrecklichen Lärm machten, wenn sie sich bewegten.

Persok: Noch hattest Du keine Angst.

Pooq: Ich hatte alle Furcht abgelegt, wußte auch, daß sie mir nichts Böses tun würden.

Persok: Mehr, mehr!

Pooq: Schließlich kamen wir in ein großes Zimmer, das voll von großen Herren war, die alle klein wurden, als ihr Oberherr sogleich eintrat, sie beugten sich alle fast bis zur Erde und ich auch. Jetzt bekam ich etwas Angst, wußte aber nicht, warum. Der König fragte mich, ob ich Dänisch (so heißt ihre Sprache) verstünde, worauf ich antwortete: Nein, und das war alles, was ich konnte. Ich bat darum Jentoft (den Dolmetscher), daß er dem großen Herren sagen möge: Daß ich ihm im Namen meiner Landsleute für seine große Liebe danke, Lehrer zu uns zu schicken, um uns über Gott zu unterrichten. Der König antwortete, daß es ihm sehr lieb sei, daß sie Gott kennenlernen wollen; nachdem er etwas mit einem alten Herren gesprochen hatte, ging er in ein anderes Zimmer, um mit der Königin, so nennen sie seine Frau, und etlichen anderen großen Herren zu speisen. Teile der Speisen waren so schön gezeichnet und hübsch gemacht, daß ich dachte, sie seien zum Schmuck und nicht zum Essen. Ich bekam viele kostbare Geschenke von dem großen Herrn. Ebenso von den anderen, so daß ich fünf große Kisten voll habe. Vornehme Leute sind im allgemeinen freundlich und gesittet.

Simik: Wir haben uns geirrt, als wir dachten, daß alleine unsere Leute gesittet wären.

Pooq: Wir und unsere Mitmenschen sind ebenso mäßig gute und mäßig böse. Die Kablunakken dahingegen haben nicht ihresgleichen, weder im Guten noch im Bösen.

Simik: Ich glaube, so ist es. Erzähl mehr!

Pooq: Um das Haus des Königs herum sind zahllose Häuser, zwei, drei, vier oder fünf Stockwerke hoch, die eine große, flache Ebene verdecken, und um diese vielen Häuser herum ist eine Wand oder ein Wall, und draußen herum ein gegrabenes Revier, worüber Brücken führen, die nachts hochgezogen werden. Die Wälle sind besetzt mit großen Kanonen, die in Bereitschaft sind, falls Feinde sie angreifen sollten.

Simik: Wer sind die, die sie angreifen wollen?

Pooq: Das ist ein anderes Volk, das es früher getan hat, zur Zeit fürchten sie niemand, dennoch aber gehen bewaffnete Leute immer Wache auf den Wällen. Ebenso zwischen den Häusern, um aufzupassen, ob Feuer entstehe, wozu sie einige künstliche Werkzeuge haben, um es zu löschen.

Simik: Woher bekommen alle diese Menschen ihr Essen? Zwanzig Walfische würden wohl kaum reichen am Tag.

Pooq: Sie bekommen das meiste ihrer Nahrung vom Land, welches die geringen Leute jeden Sommer bearbeiten, darin Saat ausstreuen, die in großer Menge wieder aufwächst. Daraus werden Brot, Grütze und andere Speisen gemacht. Die Bäume sind voll von allen Arten Beeren oder Früchten, die sehr wohlschmeckend sind, manche sind größer als Menschenköpfe, so daß ihnen Speise in der Erde, auf der Erde und im Himmel wächst.

Simik: Warum ist unser Land nicht ebenso beschaffen?

Pooq: Hier ist es zu kalt. Ich war gerade in einem Winter dort, den sie streng nannten, der aber nicht anders war als der Anfang des Herbsts bei uns.

Tulluak: Es war gut, in dem Land zu wohnen.

Pooq: Wir könnten dort nicht leben, denn dort sind nur wenig Robben und keine Walfische, ansonsten sind dort genügend andere Arten von Fisch sowohl im Meer als auch in den Seen, aber es gibt dort keine freie Jagd und Fischerei wie bei uns. Den großen Herren gehören die Tiere auf dem Felde und die Fische in den Seen. Nur zahme Tiere können alle auf dem Lande halten, aber der Boden in den Städten ist so kostbar, daß ein Stück so groß, daß man darauf sitzen kann, drei bis vier Hemden kosten kann.

Tulluak: Da sollten sie Land genug bei uns für nichts haben, ich würde ihnen den gesamten Ujararsoak (den besten Fjord bei Godthaab) für ein Hemd geben.

Pooq: Nur wenige nehmen es auf sich, hierher zu kommen, und wenn es nicht wegen des Trans und Specks wäre, würde niemand unser Land besuchen.

Tulluak: Wozu brauchen sie die große Menge?

Pooq: Für Lampen, die außen an den Häusern hängen und den Gehenden leuchten.

Tulluak: Wie rücksichtsvoll!

Pooq: Ihre Obrigkeit nimmt viel Rücksicht auf die gewöhnlichen Leute. Es gibt ein großes Haus voll von alten Männern und Frauen, die umsonst unterhalten werden. Ein Haus nur für Waisenkinder. Eines für verrückte Menschen. Eines für schlimme Frauen, die gegen ihren Willen arbeiten müssen. Und zwei bis drei für weitere Arme. Sie pflegen nicht unsere Art, Speisen gemeinsam einzunehmen. Einige sind allzu reich, haben viele große Häuser, in denen niemand wohnt, andere haben weder Haus noch Kleider, sondern gehen umher und betteln.

Tulluak: Solche Armen gibt es bei uns nicht. Aber warum sind sie so arm?

Pooq: Einige sind Krüppel und können nicht arbeiten, andere sind faul und wollen nicht, und wiederum andere zerstören sich, um verrücktmachendes Wasser zu beschaffen.

Tulluak: Das Wasser, von dem die Knechte (Matrosen) verrückt werden?

Pooq: Ja. Es gibt viele Häuser, wo die Hausherren keine andere Beschäftigung haben, als verrücktmachendes Wasser zu verkaufen. Dort trinken sie und grölen und schreien und raufen sich und sind ohne Verstand.

Tulluak: Du sagtest doch, es gebe dort nur ein Haus für Verrückte.

Pooq: Es gibt lauter extreme Dinge unter diesem Volk. Bei uns verstehen die Leute sich nur auf die Jagd, und verrückt sind nur entweder die Irren oder die Narren, aber bei den Kablunakken sind viele so verrückt, daß sie gebunden und eingesperrt werden müssen, auf Lebenszeit. Andere geben Geld aus, um für kurze Zeit verrückt zu werden. Aber es gibt auch außerordentlich kluge Leute. Sie können den Weg über das weitläufige, große Meer finden, allein indem sie die Höhe der Sonne messen und beständig auf die bewegliche Nadel schauen, die immer gen Norden zeigt. Sie bauen die schrecklich großen Schiffe auf dem Land und lassen sie von selbst ins Wasser gleiten, wenn sie fertig sind. Sie sind imstande, derartige künstliche Maschinen zu machen, daß sie Schiffe in die Luft heben können, ganze Häuser von einem Ort zum anderen und die allergrößten Steine in die Höhe bewegen können. Sie können voraussagen, wann eine Finsternis stattfinden wird und für wie lange. Kurz, ich habe so viel von ihren wundersamen Werken gesehen, daß ich die Sprache verlor, und ich mußte der Redeweise der Vorfahren Recht geben: die Kablunakken sind Herren aller Dinge außer Ebbe und Flut.

II. Pooqs zweite Reise (1729)

Die folgende Übersetzung folgt, unter Zuhilfenahme der von Mads LIDEGAARD 1988 besorgten modernisierten Neuausgabe, Paul EGEDES 1788 auf dänisch erschienenem Buch *Efterretninger om Grønland, uddragne af en Journal holden fra 1721 til 1781*, S. 36–42 (1988, S. 40–44).

[1728] Mit dem Schiff Morian fuhr ich [Paul Egede] nach Kopenhagen, um nachzuholen, was ich in meinen Studien versäumt hatte. Auf königlichen Befehl folgten fünf Grönländer mit, und zwar Pooq, der Christian hieß, seine Frau und deren kleines Kind, ein junger Mann (Carl Daniel) und ein Mädchen, Sophia, die Prinzesse genannt wurde, weil ihr Vater, als er hörte, daß es in unserem Land einen großen Herrn gab, der König genannt wurde, sagte, daß er König in Grönland sein wolle, weil er der vornehmste und reichste unter den Seinen war.

Diese erste Trennung von meinen Eltern ging mir sehr nah. Grönland, wo ich mehr Gutes als Schlechtes erfahren habe, ja mehr als man denken sollte, war mir nun so lieb, daß ich mir nichts Besseres vorstellen konnte, besonders jetzt, da uns die Versorgung sicherer zu sein schien als früher und wir uns nicht mehr vor dem Hungertod zu fürchten brauchten, der uns ehemals so oft bedrohte.

Vor Statenhuch[1] lagen wir einen ganzen Tag bei stillem Wetter, und als eine Menge Vögel um uns herum zu sehen waren, bekamen die Grönländer Lust, ihre Kajaks von Bord zu nehmen. Nachdem sie so viele gefangen hatten, wie sie oben auf ihren Booten befördern konnten, kamen sie wieder

1 Holländischer Name für Kap Farvel.

zurück. Das Schiff kam ihnen in ihren kleinen Booten wie ein großes Land vor. Aber sie hatten doch gesehen, daß die Wellen es wie ein kleines Boot tummeln konnten. Sie wunderten sich darüber, daß wir den Weg über das große Meer finden konnten, denn wenn die Sonne untergegangen war, konnte man ebensogut gen Westen segeln wie gen Osten. Von dieser Zeit an lehrte ich sie, den Kompaß zu kennen, und ließ sie zur Mittagszeit sehen, wie die Höhe der Sonne über dem Horizont beobachtet wurde; das sagte einem nämlich, wo auf dem Meer man sich im Verhältnis zum Norden und Süden befand.

Als wir die Färöer in Sicht bekamen und so nah an Land kamen, daß wir Menschen wie Tiere sehen konnten, bekamen unsere Grönländer eine unbändige Lust, dort hinzukommen, aber ein hartes Wetter zwang uns, abzudrehen.

Am 31. August kamen wir zur Reede in Bergen, um dort einen Schiffer und seine Leute abzusetzen, deren Schiff wegen Mangel an Proviant in Grönland hatte bleiben müssen. Hier waren meine Grönländer sehr froh und zufrieden mit dem Land wie auch den Leuten. Von hier reiste ich nach Bergen. Bei der Einfahrt wunderten sie sich über den langbärtigen Lotsen, der dem Kapitän die Befehlsgewalt nahm und so mutig auf seinem Schiff kommandierte.

Am 28. September setzten wir abermals die Segel und gelangten am 2. Oktober zu Kopenhagens Reede. Am folgenden Tag, einem Sonntag, erhielt ich Befehl, zusammen mit meinen Grönländern auf das Schloß zu kommen. Die Männer ruderten in ihren Kajaks vom Schiff durch die Sperre den Kanal entlang neben der Schaluppe, in der die Frauen waren. Im Zollamt wimmelte es von Menschen, ebenso auf den Schiffen und entlang dem Kanal. Auf dem Schloßplatz hielten zwei Kutschen für uns. Durch ein großes Gedränge von Menschen kamen wir schließlich in das Vorgemach des Königs, wo sich eine große Versammlung befand. Die Grönländer standen wie verzückt über diese Veränderung und fragten, wo der König sei. Schließlich wurde eine Tür geöffnet, und als sich alle vor dem verbeugten, der hereintrat, schlossen sie umgehend, daß es der große Herr sein müsse, nach dem sie sich sehnten, sie wunderten sich aber darüber, daß er nicht hochwüchsiger war und anders gekleidet war als die anderen (es herrschte Hoftrauer). Der Großkanzler stellte mich dem König vor, und ich sagte, daß ich Sohn des Herrn Egede in Grönland sei. Der König fragte, wie er lebe, ob er Fortschritte mache, ob sie willens seien, unsere Lehre anzunehmen. Einer der anwesenden Herren ließ sich damit verlauten, daß es große Kosten gebe, die der König darauf verwende, die Gewinne aber gering oder fast keine seien, worauf der König antwortete: »Wenn eine Seele gewonnen werden kann, ist darauf nicht zu viel verwendet worden.«

Jetzt gingen die Herrschaften zur Tafel. Im selben Raum wurde ein kleiner Tisch für meine Grönländer aufgestellt, während ich als Dolmetscher hinter dem Stuhl des Königs stand. Die Musik war ihnen außerordentlich angenehm, und das ganze kam ihnen wie ein Traum vor, sagten sie. Nach der Tafel wurde uns befohlen, in ein anderes Gemach zu kommen, wo die Herrschaften noch versammelt waren, und endlich in ein weiteres Gemach, wo die Königin, die allein mit dem König war, befahl, daß die grönländische Frau ihrem Kind die Brust geben solle. Sie nahm sogleich das Kind aus dem Pelz und setzte sich auf den Boden. Aber ich merkte im selben Augenblick, daß sie Angst bekam und etwas Heu aus ihrem Stiefel nahm, um heimlich nach dem Kind aufzutrocknen, was die Königin entdeckte. Sie befahl mir zu sagen, daß es ein Kind sei und sie sich darum nicht zu schämen brauche. Sie ließ sie sich mit dem Kind in einem Spiegel sehen und fragte, ob sie in Grönland Spiegel hätten. Um eins in der Nacht fuhren wir zu unserem angewiesenen Quartier.

Den nächsten und die folgenden Tage kam fast die ganze Stadt zu uns, um diese neuen Menschen zu sehen. Schließlich wurden sie es leid, sich beschauen zu lassen, und als sie merkten, daß der Pförtner Geld dafür nahm, die Leute hereinzulassen, meinten sie, daß ihnen, die sich betrachten lassen sollten, das Geld zukäme und nicht ihm, der sie beschauen ließ. Sie müßten auch, so sagten sie, etwas dafür erhalten, daß sie so oft hören mußten, daß sie nicht schön seien; denn in diesem fremden Land herrsche offenbar eine andere Sitte als bei ihnen. Denn dort rufen die kleinen Mädchen durch eine Öffnung in den Fenstern den anderen zu, die sie bei Namen nennen: Pinnagarit: du bist hübsch. Der andere antwortet von drinnen: »iserit«, komm herein, »akillissaunga«, ich bezahle, und dieses Geschenk besteht in ein paar Nähnadeln oder einigen kleinen Perlen. Hier aber heißt es jeden Tag: »pinneekautit«, du bist häßlich, und um zu uns hereinzukommen, wird dem Pförtner Geld gegeben, das eigentlich wir für unsere Häßlichkeit erhalten sollten, alldieweil man bei Euch so selten häßliche Menschen zu sehen bekommt.

Nach einigen Tagen wurde ich mit meinen Grönländern im Waisenhaus einlogiert, aber diese Annehmlichkeit währte nicht lange. Am 27. Oktober brach um acht Uhr abends das Feuer aus, das den größten Teil der Stadt verzehrte. Ich suchte mit meinen Grönländern am selben Abend meine Zuflucht bei einem Freund bei der Reitbahn. Am dritten Tag hatte der liebenswerteste König, mitten in seiner Bekümmerung und großen Sorge, sorgfältig für diese armen Grönländer gesorgt und befohlen, daß sie aus der Stadt hinaus nach Frederiksberg ziehen sollten. Als sie bereitstanden, um in die Kutsche zu steigen, kam der König geritten, und als er sie sah, hielt er an und fragte mich, ob sie alle da wären, und als ich antwortete: ja!, sagte er: »Geht mit Gott.«

Der Schloßverwalter nahm uns gut auf und versorgte uns alle mit Kost und Logis auf Rechnung des Königs. Hier fiel uns allen die Zeit lang. Pooq, der sich schon gut auskannte, ging nach Kopenhagen, um ein Glas Wein zu bekommen, das seine Bekannten ihm geben wollten. Schließlich blieb er am Weihnachtsabend weg und kam nicht vor dem nächsten Tag nach Hause, ohne Hut, Degen, Tabaksdose, Halstuch usw. und war ganz niedergeschlagen. Auf die Frage, wo er gewesen sei, antwortete er, daß er in Kopenhagen gewesen sei, wo sie ihm so viel Wein gegeben hätten, daß er selbst nicht wußte, was mit ihm geschehen sei, bevor er in einem fremden Haus erwacht sei und sich aller seiner Habe beraubt gesehen habe. Später erfuhr ich vom Kammerdiener des Königs, daß die Wächter ihn betrunken auf der Straße aufgefunden und zur Schloßwache gebracht hätten.

Am dritten Weihnachtstag erhielten wir Befehl, zum König zu kommen. Pooq erschrak, und als er in das Vorgemach des Königs kam, zitterte er. Der Großkanzler sagte zu mir: »Ich höre, daß Pooq am Weihnachtsabend lustig gewesen ist. Er muß sich in acht nehmen, der König könnte das erfahren.« Als ich Pooq die Worte des Großkanzlers erklärte, war er froh darüber, daß der König es nicht wußte. Im gleichen Augenblick kam der König herein und sprach mit mir über den Zustand der Mission und darüber, welche Hoffnung man sich für den Handel dort oben machen könne, und er ging daraufhin zur Tafel. Pooq war froh darüber, daß er so gut davongekommen war, aber sogleich kam der Kammerdiener des Königs und schalt ihn wegen seines Betragens aus, was ich ihm erklärte. Pooq bat mich, ihm zu sagen, daß er nur ein kleiner, unbedeutender Herr sei. Der große Herr, der König, habe gut zu ihm gesprochen.

1729. Als man sie gefragt hatte, welches Handwerk sie gerne lernen wollten, bekam Pooq Lust zur Drechselkunst. Sein erstes Werk, ein paar Knochenknöpfe, zeigte er dem König und erzählte mir, daß der König damit zufrieden gewesen sei und ihm gesagt habe: »Gut!« Carl, der in Grönland gewohnt gewesen war, auf Renjagd zu gehen, wurde als königlicher Läufer angenommen. Während er in Frederiksberg war, bekam er die Idee, mich zu fragen, was in unserer Sprache hieße: »Ich armer Kerl habe kein Geld.« Ich mußte es ihm aufschreiben, und er befestigte das Geschriebene an einem weißen Stock, den er sich im Schloßgarten geschnitten hatte. Mit diesem Stock ging er in der Stadt in die Weinhäuser, wo seine guten Freunde ihn hingeführt hatten. Diejenigen, die diesen ungewöhnlichen Stock sahen und lasen, was auf ihm geschrieben stand, griffen sogleich zur Tasche, und Carl Läufer kam mit vollen Hosentaschen zurück. »Siehst Du«, sagte er mir in seiner Sprache, »ich spreche wahr, daß dieser Stock Geld geben werde.«

An dem Tag, als sein Freibrief kam, bekam er die Pocken. Leibarzt Laub erhielt den Bescheid, ihn zu betreuen. Als der aber merkte, daß er ihm nicht helfen konnte, wurde er zornig und wollte es ihm auf dänisch sagen, konnte sich aber nicht anders ausdrücken als mit den Worten: »Meister Grönland tüchtig, Meister Kopenhagen Canalie.« Die übrigen bekamen auch die Pocken und starben alle. Pooq war der erste, der krank wurde, und da er die Pocken früher nicht gesehen hatte, erschrak er so über sich selbst, daß er sie als eine göttliche Strafe ansah. Er geriet in fürchterliche Angst. Schließlich bekannte er, obwohl er mir es anfangs als junger Mensch nicht offenbaren wollte, daß er, kurz bevor er Grönland verlassen habe, einen Mann totgeschlagen habe, da er meinte, es sei richtig, den Tod seines Bruders zu rächen. Aber jetzt, da er in diesen elenden Zustand gekommen sei, tue es ihm innerlich leid, und er glaube nun, daß Gott ihm böse sei, weshalb er so fürchterliche Angst habe.

Ich erklärte ihm nun, daß die Pocken nicht als eine göttliche Strafe betrachtet werden könnten, denn sie träfen auch die besten Menschen. Aber ich betrachtete eher die innere Angst als eine Strafe. Er hätte getan, was nur der Obrigkeit zukäme, nämlich den zu töten, der seinen Bruder ermordet hatte. Zwar gebe es nun keine Obrigkeit in Grönland. Aber ich bat ihn, sich Gottes Barmherzigkeit zu übergeben, woraufhin er mir die Hand drückte und starb.

III. Arnarsaaq und Tullimak (1740/41)

Der im Folgenden übersetzte Textauszug stammt aus Paul EGEDES 1741 in Kopenhagen erschienener ›Fortsetzung der den Zustand und die Beschaffenheit der grönländischen Mission betreffenden Relationen‹. Die Übersetzung folgt der von H. OSTERMANN besorgten Neuausgabe (P. und N. EGEDE 1939, S. 110–115).

August: Am 4. verließen wir mit vier Schiffen den Hafen von Christianshaab, um abermals in Jesu Namen unsere Heimreise anzutreten. Auf das inständige und unabläßliche Begehren von Arnarsaaq und dem kleinen Tullimak mußte ich sie schließlich mit mir folgen lassen, die sich, teils aus Liebe zu mir, teils aus dem Begehren, das Land und Volk sehen zu wollen, durch dessen Vermittlung Gott ihnen seine seligmachende Kundschaft gesandt hat, nicht von mir trennen wollten. Wie ungern die übrigen Grönländer mich verlieren wollten und wie große Liebe sie zusammen mir gegenüber nährten, konnte ich wohl daran vernehmen, daß so viele von ihnen nicht zugegen sein wollten, als ich an Bord stieg; sie gingen deshalb hinter die Berge, um nicht zu sehen, wie ich sie verließ, und andere wiederum erklärten, daß sie mir gerne folgen würden, um mich in meinem Vaterland ankommen zu sehen. Ein jeder kann daraus schließen, in welchem Sinneszustand ich mich von ihnen trennen konnte. Gott weiß, daß ich froheren Sinnes nach Grönland gekommen, als ich Grönland verlassen habe. Aber mein Zustand war derart, daß ich nicht ohne große Gefahr für meine Gesundheit länger verbleiben konnte. Darüber hinaus wäre dies der Sache auch nicht besonders dienlich gewesen, wenn ich unter Aufbietung aller meiner Kräfte in wenigen Jahren mein Leben in Grönländ hätte beschließen müssen, denn in diesem Fall würden die Grönländer all den Nutzen und Dienst entbehren müssen, den ich ihnen mit Gottes Hilfe in meinem Vaterland dadurch zu erweisen hoffe, daß ich zu ihrer Erbauung die heiligen Schriften und andere gottesdienliche Bücher übersetzen möchte. Dennoch habe ich in höchstem Maße Ursache, Gott dafür zu preisen, daß er meine Arbeit unter den Grönländern nicht hat vergebens sein lassen. Denn obgleich das harte Klima des Landes meiner körperlichen Gesundheit geschadet hat, freue ich mich doch darüber, daß andere durch Gottes Liebe und selige Worte an geistiger Gesundheit gewonnen haben. Gott gibt all dem seinen reichen Segen, was gepflanzt worden ist, so daß es reichlich wächst und gedeiht, wenn die, die dazu bestellt worden sind und künftig bestellt werden, es fortwährend und unabläßlich begießen. (...)

September. Am 4. bekamen wir einen Sonnenwolf[2] auf jeder Seite der Sonne zu sehen, so daß es aussah, als ob drei Sonnen nebeneinander stünden. Arnarsaaq erzählte uns daraufhin, daß, wenn man solches am Himmel sehe, die Grönländer sagten, daß die Sonne sich die Ohrenringe angehängt habe, entweder aus Freude über den Tod einer Mannsperson, und das aus dem Haß, den sie gegenüber ihrem Bruder, dem Mond, nähre, oder weil ein Mädchen geboren worden sei; bei einem Ring um den Mond sagen sie, daß er sich einen Hut aufgesetzt habe aus Freude darüber, daß ein Mädchen gestorben sei.

Arnarsaaq und Tullimak sprechen täglich davon, daß sie niemals gedacht hätten, daß das Meer so groß sei; dies, sagten sie, gebe ihnen auch Anlaß, die große Allmacht Gottes zu bedenken, der so viel aus Nichts erschaffen könne. Sie verwunderten sich auch darüber, daß das Meer so wenig Kreaturen enthielte, weil es doch in ihrem Land immer so viele Tiere und Vögel gebe, woran sie abermals Gottes Vorsehung für die Menschen erkannten, daß er nicht wolle, daß sie für ihren Lebensunterhalt Not leiden sollten.

---

2 Nach Ostermann (P. und N. Egede 1936, S. 301) geht es hier um den auf dänisch auch »Sonnenuhr« genannten Widerschein der Sonne in einer dicken Wolke.

Tafel 1: Die vier von Danell 1654 nach Dänemark verschleppten Grönländer sind vermutlich von Salomon von Hauen in Bergen porträitiert worden. Der deutschsprachige Text auf dem Bild lautet: »Mit Ledern Schifflein auf dem Meer die Grönländer sein hin und her. Von Tieren und Vögeln haben sie ihre Tracht. Das kalte Land vor Mitternacht. Bergen den 26. September 1654«

Tafel 2: Pooq und Qiperoq. Ölgemälde von Bernhard Grodtschilling. Kopenhagen 1724

Tafel 3: Marie war von Missionar Sylow 1746 mit nach Kopenhagen gebracht worden. Ölgemälde von M. Blumenthal, Kopenhagen 1753. Auf der Rückseite des Bildes steht zu lesen: »Veritables und accurates Portrait der grönländischen gottesfürchtigen und tugendhaften Jungfrau Maria, Tochter des Epeÿub, die Anno 1746 mit dem Missionar Herrn Sylow von Grönland nach Kopenhagen reiste, und von dort nach Norwegen auf Friedrichs-Hald zurückkehrte, wo ihr Portrait-Original Anno 1747 von Mathias Blumenthal erstellt wurde. Im gleichen Jahr reiste die Grönländerin zusammen mit Herrn Sylow nach Bergen, weil sie im nachfolgenden Jahr wiederum nach Grönland reisen sollte. Sie starb jedoch Anfang des Frühjahrs 1748 im Hause von Herrn Sylow«.

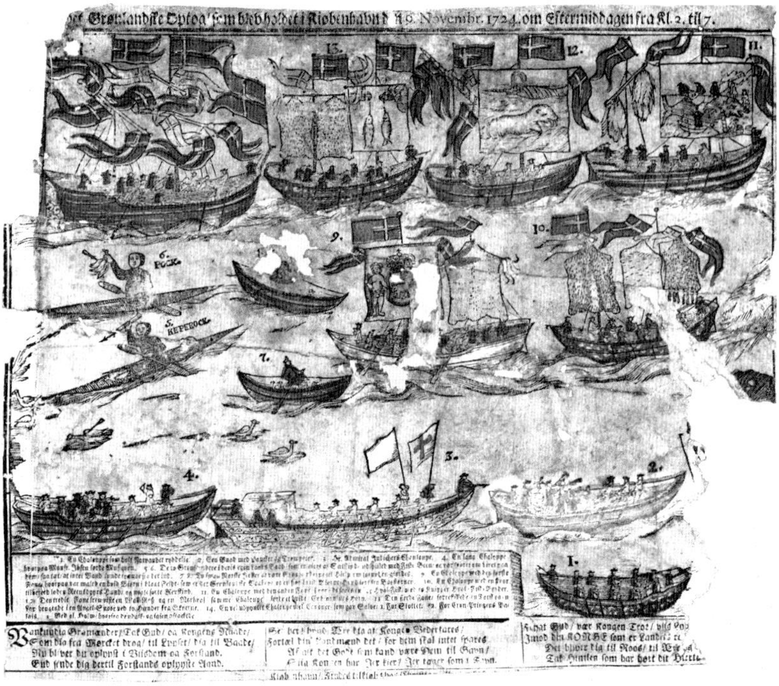

Tafel 4: Der grönländische Aufzug in Kopenhagen am 9. November 1724 am Nachmittag von 2 bis 7. Truhendeckenbild, Lithographie.

Am 8. freuten sich meine Grönländer, als sie zwei kleine Vögel um das Schiff fliegen sahen, woraus sie den Schluß zogen, daß sie nicht weit vom Land sein könnten. Ich nahm dies zum Anlaß, ihnen Gottes wunderliche Führung und Versehung vorzustellen, indem er diese und andere unvernünftige Tiere von einem weit entfernten Land zu einem anderen führe, obwohl sie selbst keinen Verstand hätten, dort zu suchen, wo sie ihre Nahrung finden könnten. Sie antworteten darauf, daß dies ja mit unserem Schiffer verglichen werden könne, weil sie das Land ebensogut finden könnten wie er, und das ohne Kompaß!

Am 9. sah es in der Luft aus, als ob sich ein Donnerwetter nähere. Arnarsaaq erzählte aus diesem Anlaß, daß es bei ihrem Volk Sitte sei, bei Donnerwetter den Kindern ein kleines Stück Speck in die Haare zu hängen, damit sie ihre Seele nicht verlören.

Am 10. bekamen wir die Færöer zu sehen.

Am Morgen des 12. passierten wir Hitland[3]. Hier sagten die Grönländer wiederum, daß sie, wenn sie nicht von unserem Verstand und Begriff vom Segeln versichert worden wären, niemals geglaubt hätten, wieder an Land zu kommen und sich statt dessen auf dem Meer verirrt hätten. Weshalb sie nun, als wir diese Inseln in Sicht bekamen, der Meinung waren, daß es am besten wäre, wenn wir uns an diese hielten, indem sie sagten: Verachte nicht die kleinen Länder, die großen sind ungewiß. In der Nacht danach, als hartes Wetter aufkam, sagte Arnarsaaq: Gott will uns damit daran erinnern, daß wir fleißig beten sollen. Hier können leichtfertige Leute lernen, furchtsam und andächtig zu sein.

Wenn das Wetter auf Sturm stand, blickten sie immer auf das Gesicht des Schiffers, um zu sehen, ob er Angst habe. Sie sagten zu mir: Wir fürchten uns nicht, bis wir sehen, daß du und ferner der Schiffer euch fürchtet, denn wenn er Angst bekommt, ist Gefahr im Verzuge. Als wir zu Beginn eine Wel-

---

3 Das heißt die Shetland-Inseln.

le über das Schiff hereinbrechen sahen, daß es krachte, dachten wir, daß das Schiff zerbersten müßte.

17. September. Nachdem wir lange westlich einer Landzunge [vor der norwegischen Küste; M. H.] gekreuzt hatten und wegen des Gegenwindes und der widrigen Strömung nicht weiterkommen konnten und unser Großsegel beschädigt worden war, mußten wir an Land gehen, worüber unsere Grönländer höchst erfreut waren. Aber diese Freude währte nicht lange. Denn am dritten Tag danach wurden sie krank und schlugen am ganzen Körper aus, weshalb Arnarsaaq sagte, daß sie das Land zur Miete hätten, die Krankheit aber ihr Eigentum werde. Als wir an Land traten und an einer Stelle einige Dornenbüsche erblickten, sagten sie: Das sind zweifelsohne die üblen Bäume, die meinen Herrn gepeinigt haben.

Am 21. war ich mit den Grönländern in der Hauptkirche von Wandsøe und hörte dort den Gemeindepfarrer Magister Tyrholm vor seinen Jugendlichen katechisieren. Auf sein Verlangen rief ich dort auch meine zwei Grönländer vor den Altar, um sie in Gegenwart der Gemeinde ihr Glaubensbekenntnis ablegen zu lassen, nachdem ich zunächst für sie eine kleine Rede in grönländischer Sprache gehalten hatte, um Gott für die bisher glückliche Reise zu danken. Sie wurden daraufhin vom Pfarrer in allem angewiesen, was ihnen zur Freude und Erbauung dienen konnte, worüber sie sich sehr freuten und sich von dem, was sie sahen und hörten, sehr bestätigt fühlten, weil es mit dem übereinstimmte, was sie in ihrem eigenen Land gehört hatten. Magister Tyrholm dankte daraufhin abermals dem Herrn, daß er sich von den ausländischen Heiden noch Kinder holen und eine Kirche bilden wolle, worüber viele aus der Gemeinde vor Freude weinten und viel Segen für sie wünschten.

Oktober. Am 2. lichteten wir wieder Anker und setzten Kurs auf Skagen.

Am 3. lagen wir mit über 50 anderen Seglern in stillem Wetter vor Skagen und bekamen gegen Abend günstigen Wind. Aber weil der Leuchtturm sich nicht vor Mitternacht sehen ließ, obwohl wir nicht einmal eine halbe Meile vor ihm waren, konnten wir die Reise nicht fortsetzen, weshalb der Leuchtturm von den Matrosen ebenso viele Verwünschungen auf sich zog, wie die Grönländer Segnungen in Norwegen erhielten.

Am 4. ankerten wir bei Hals im Fjord von Aalborg. Dieses Land stand den Grönländern besser an als Norwegen. Auch weil sich ihr Gesundheitszustand gebessert hatte, sagten sie: Jütland heilt uns ebenso, wie Norwegen uns hat krank werden lassen. Dennoch mußten sie später am Hof von Sig. Severin eine arge Schwäche über sich ergehen lassen. Von seiner Höflichkeit und Fürsorge für sie und seine Leute sagten sie: Wenn unser Volk hier wäre, dann könnten sie sehen, daß diese Fremden zu uns gutherzig sind, obwohl sie nie in Grönland gewesen sind.

November. Am Tag der Allerheiligen war ich mit ihnen in der Kirche von Dronninglund, ob welcher Versammlung sie sehr angetan waren, indem sie sagten: Hier ist eine herrliche Versammlung, aber im Himmel ist sie noch herrlicher. Nach der Predigt sangen sie in ihrer Sprache zusammen mit den anderen: Meine Hoffnung und Trost und alles Vertrauen usw. Und dann dankten sie Gott, der sie in das ersehnte Land geführt habe, aus dem sie ihren Glauben erhalten hätten.

Am 8. verließen wir Jütland wieder und setzten die Segel nach Kopenhagen.

Am 10. ließen wir die Anker im Sund, wo sie sich zunächst sehr über das Schloß[4] wunderten, von dem sie sagten, es sei wie ein Berg; denn wenn sie derartiges in den Tagen ihres Wahnsinns gesehen hätten, hätten sie gesagt, daß Tornarsuk es gemacht habe. Später wunderten sie sich über die vielen Schiffe, die dort lagen, denn sie dachten, daß es nicht mehr Schiffe gebe als die, die nach Grönland kommen.

Am 11. gegen Abend kamen wir nach Kopenhagen, und hier fielen sie abermals in Verwunderung, daß so viele Men-

---

4 Schloß Kronborg in Helsingør.

schen sich an einem Ort aufhalten könnten, und konnten nicht begreifen, woher alle diese Menschen ihre Speise nähmen, denn sie sahen hier keine Robben oder Walfische usw., die in Grönland den Hauptteil ihrer Speise ausmachen.

Am 12. wurde Arnarsaaq sehr krank und verlangte deshalb dringlich, das Sakrament des heiligen Abendmahls zugeteilt zu bekommen. Dies wurde ihr zugeteilt, wobei sie den gewohnten Ernst und die gewohnte Andacht erwies. Nach diesem heiligen Geschäft fragte sie mich, ob sie denken solle, daß diese Krankheit ihr unmittelbar von Gott geschickt worden sei, denn dann könne sie sich seiner Liebe ihr gegenüber am besten versichern, oder ob sie die Luft und das Klima des Landes nicht vertrage und deshalb krank geworden sei; denn dann meinte sie, daß Gott daran keinen Anteil habe. Ich brachte sie deshalb auf bessere Gedanken und zeigte ihr, daß einem Gotteskind nichts widerfahre und daß Gott seine Hand darin habe und durch seine Vorsehung in allem nach ihrem Besten und Segen sehe. Gott möge gnädig dafür sorgen, daß die Armen völlig von der Schwäche, die sie befallen hat, restituiert werden mögen, bevor sie sich von hier wieder wegbegeben, denn dann würden sie ohne Zweifel Gutes für ihr Volk und Vaterland ausrichten können. Welches sie auch selbst gesagt und mir versichert haben, daß sie nämlich Gott nach ihrer glücklichen Heimkehr nach allen Kräften für all das loben und preisen wollten, wofür sie ihm zuvor nicht hatten danken können, so daß Gott dann ebenso auch von ihren wahnsinnigen Landsleuten gelobt und gepriesen werden könne.

Dezember. Am 24. behagte es seiner Königlichen Majestät allergnädigst, mich zu sich zu rufen, zusammen mit meinen zwei Grönländern, um sie in ihrer eigenen Tracht zu sehen, und mich auch allergnädigst über den Zustand der Mission in Grönland zu hören, woraufhin er dann auch, nachdem ich von allem berichtet hatte, sein allergnädigstes Vergnügen darüber erkennen ließ, daß seine allerchristlichste Absicht so wohl ausgefallen sei und beste Hoffnung auf ihre kommende Aufklärung und Umkehrung bestehe.

Die Grönländer wunderten sich sehr über alles, was sie sahen und hörten, indem sie sagten, daß sie zwar zuvor prächtige Gedanken gehabt hätten, die jedoch angesichts dessen, was sie jetzt sähen, ganz nichtig seien. Wenn ein großer Herr auf Erden eine solche Herrlichkeit hat, sagte das Mädchen, wie herrlich muß es dann bei Gott im Himmel sein!

Über die Künste und den Verstand unserer Nation verwunderten sie sich ebenso und sagten, daß sie [die Dänen; M. H.] alle ihre Gedanken imitieren und alles machen und vollbringen könnten, was sie selbst in ihren Gedanken erfinden könnten. Sie sagten ferner: Nun haben wir den dankenswerten Herrn gesehen, der unbesehen dafür gesorgt hat, daß wir Gott in Ewigkeit sehen mögen. Als sie sahen, wie aufmerksam die gnädigen Herren dem lauschten, was ihnen vor dem Essen, das ihnen allergnädigst gereicht wurde, verlesen wurde, sagten sie später zu mir: Wenn unsere Landsleute einen so großen Herrn mit der gleichen Ehrfurcht wie wir mit dem Ober-Herrn Gott reden gesehen hätten, denn würden sie ohne Zweifel darüber tiefer nachdenken. Als sie unter den Hausdienern einen Mohren sahen, begannen sie zu lächeln und sagten: Wir dachten, wir wären häßlich, aber er ist noch häßlicher. Als dies dem Mohren bedeutet wurde, lachte dieser, weshalb sie sagten: Lache nur, du warst vorher schöner. Als wir schließlich das Vorgemach verließen, wandte Arnarsaaq sich zu den Rittern und Damen und allen übrigen um und sagte: Ihr denkt, in den Himmel zu kommen, weswegen ich euch, weil ich euch hier auf Erden nicht wieder begegnen werde, wohl im Himmel wieder zu sehen bekommen werde.

Als einmal jemand in einer Sänfte vorbeigetragen wurde und mich jemand bat, sie zu fragen, was sie meinten, was dies sei, antworteten sie: Das ist ein fauler Mann in einem Futteral. Von den großen Reifröcken der Frauenzimmer sagten sie, daß man sie zu Zelten verwenden könne. Sie wunderten sich auch über die große Verschiedenheit sowohl der Ansichten wie der Verhältnisse, denn in ihrem Land sieht man keine Bettler. Ansonsten lobten sie unsere Leute sehr dafür, daß sie mit Fremden keinen Spaß treiben, sondern freundlich und lieb zu ihnen sind.

Ich habe dieses mein Journal bis zum Ende dieses Jahres fortgeführt, weil ich gerne einige der Reflexionen der Grönländer über unser Land und Volk und darüber, was ihnen hier verwunderlich und ungewöhnlich vorkommt, vorführen wollte.

IV. Arnarsaaq (1740/65)

Die folgende Übersetzung folgt dem 1765 in der periodisch erscheinenden Publikation *Adressekontorets Efterretninger* erschienenen Text von Niels EGEDE, so wie er von Hother OSTERMANN wiedergegeben worden ist (P. und N. EGEDE 1939, S. 354–356).

Nachrichten über die einfältige und natürlich unschuldige Denkweise der Grönländer, für welche wir und unsere Leser dem wohlgeborenen Herrn Kapitän Egede zu danken haben, der ein Sohn des seligen Superintendenten Hans Egede ist und sich 26 Jahre lang in Grönland aufgehalten hat, wo er diese und andere Anmerkungen aufgezeichnet hat.

Als eine Frau namens Arnarsaaq, die 1740 in Kopenhagen gewesen war, wo sie viele Dinge gesehen hatte, über die sie sich gewundert hatte, besonders die großen und prächtigen Gebäude, von denen sie meinte, daß sie nicht von Menschenhand erbaut sein könnten, hörte, daß es mir ernst war, nach Hause nach Kopenhagen zu reisen, sagte sie: Bleib bei uns, denn hier hast du all die Freiheit, die du verlangen kannst. Ich bin ein Jahr in Kopenhagen gewesen, aber ich verlange niemals, dort öfter hinzukommen; denn Hunger und Krankheit hingen über mir, nichts konnte ich verdienen, und ich durfte auch nicht gehen, wohin ich wollte, um etwas zu fangen und zu schießen, bevor ein roter Mann kam mit Riesenbart, Degen und Gewehr in der Hand, und mich wegjagte; ich sah viele von diesen roten Leuten, die mir unaufhörlich einen Schreck einjagten; wovon mochten sie wohl leben? Ich sah sie immerzu in prächtigen Kleidern gehen, mit vollem Gewehr, den ganzen Tag lang die Straße auf und ab spazierend, ohne etwas auszurichten, wovon sie sich kleiden und ernähren konnten; so glaube ich wirklich, daß sie Hexenmeister sein müssen, die von nichts leben können. – Ich sah darüber hinaus viele Bettler, ja die, die mit ihren Kindern umhergingen und für Kleider und Speise weinten; ich sah ganze Straßen wimmeln von sowohl reichen wie armen Leuten, ohne zu arbeiten oder etwas zu schießen oder zu fangen, und dennoch gab es Speise genug zu sehen, mit der andere Leute gingen; aber keiner konnte etwas von ihnen erhalten, nur hatten sie nutzloses Zeug, das sie Geld nannten, und wo sollten wir das hernehmen? Ich konnte keines finden, und andere auch nicht, weder auf dem Feld noch auf den Straßen. Darum kannst du hier im Land bleiben und dich ernähren und nicht nach Hause zu deinem eigenen Unglück reisen.

Anno 1764 am 4. August war ich bereit, Grönland zu verlassen, und wartete nur auf guten Wind. Die Grönländer kamen öfter zu mir, um von mir Abschied zu nehmen, weil sie mich am besten kannten ich und mich 26 Jahre lang bei ihnen in ihrem Land aufgehalten hatte. Die meisten ihrer Ermahnungen an mich galten dem Kriegsstand. Da sie im vorhinein wußten, daß ich den Rang eines Kapitäns der Infanterie innehatte, rieten sie mir sehr davon ab, in diesem Stand zu verbleiben. Da ich ihnen zuvor von Krieg und Fehde erzählt hatte, meinten sie, daß es die nutzlosesten Menschen seien, die sich anheuern, kleiden und ernähren ließen, um andere Leute totzuschlagen und ihre Nächsten auszuplündern. Denn bei ihnen, so sagten sie, nenne man solche Leute Mörder und Diebe. Andere hingegen sprachen milder von diesem Stand und sagten: Es ist in Ordnung, auf Feinde vorbereitet zu sein, wenn sie kommen; zwar nicht, um sie totzuschlagen, sondern um sie wegzuprügeln, denn dann könnten sie während des Friedens losfahren und Walfische und Seehunde schießen und andere Tiere auf dem Land, ganz so wie du bei uns getan hast. Und wozu willst du jetzt heim in dein Land? Dort gibt es für einen Kriegsmann nichts zu verdienen, schon gar nicht jetzt, wo Frieden herrscht. Die anderen Grönländer, die in Kopenhagen gewesen sind, haben uns erzählt, daß es dort nichts zu verdienen gibt und daß, wenn jemand jagen oder fischen oder andere Arbeit verrichten will, die Mörder kommen – so nannten sie die Soldaten – und sie von dort wegjagen würden, so daß sie in den Städten verbleiben und sich Schmuck und Pracht anschauen müßten, wovon niemand leben könne. Aber ich mußte ihnen antworten, daß es sich ganz anders verhalte, als sie meinten, denn ich wollte jetzt nicht nach Kopenhagen, um davon zu leben, Leute totzuschlagen und auszuplündern, sondern unser allergnädigster König habe mir einen ruhigen Lebensunterhalt versprochen, weil ich so lange hier im Lande gewesen sei und sie über Gott unterwiesen und sie das gelehrt habe, was ihnen und ihrem Land von Nutzen sein könne, wofür sie dann auch dankten.

Am 5. August, als Gegenwind herrschte, kam einer meiner Arbeitsburschen, der für einige Zeit mit einer jungen grönländischen Frau verlobt gewesen war, zu mir und bat, daß ich noch am gleichen Tag vor meiner Abreise seine Hochzeit halten solle. Dies tat ich dann auch. Aber als der Pfarrer begann, sie zu vermählen, kamen viele Eingeladene, um der Zeremonie zuzuschauen. Als die junge Braut dies sah, wollte sie weglaufen und sagte, daß sie, wenn man den Leuten erlauben würde, hereinzukommen und zuzuschauen, niemals heiraten wolle. Denn bei ihnen gilt es als es eine große Schmach, wenn ein Mädchen einem Manne gutwillig ihr Jawort gibt und in Anwesenheit anderer freundlich zu ihm ist. Derartige Frauen gelten unter ihnen als Huren. Ich mußte mich nun der Braut fügen und außer ein paar schaulustigen Frauen die Leute wegjagen. Als nun die Vermählung vollendet worden war, setzte die Braut sich hin, um zu weinen, und beklagte sich, daß sie sicherlich von den anderen verleumdet werde, und warum es ihrem Mann nicht erlaubt worden sei, sie so, wie es der Brauch sei, mit Macht zu nehmen, denn dann wäre ihr kein Schaden entstanden. Ein anderes Mädchen, das auch dabeistand, sagte: Ich wußte sehr wohl, das man Scham und Schaden über sich ergehen lassen müsse, und deshalb habe ich meinem Geliebtem rechtzeitig aufgesagt; denn solange es so bleibt, daß wir öffentlich dastehen und uns von allen beschauen lassen und uns Reden über

Schwangerschaft, die Aufzucht von Kindern und darüber, daß wir froh sein sollen, anhören müssen, werde ich nie heiraten. Pfui Teufel, wenn wir uns fröhlich anstellen sollten, weil wir einen Mann bekommen! Nein, lieber wollen wir uns schämen und weinen. Als dies nun ein Ende hatte, ließ ich einen großen Tisch decken, wo Braut und Bräutigam an der Spitze saßen und die anderen zu so vielen, wie Platz war. Aber die Braut saß weiterhin niedergeschlagen eine ganze Stunde lang, bis ich sie mit etwas Wein und Bier ermunterte und beim Zutrunk ein paar Kanonenschüsse feuern ließ. Die Männer fanden das herrlich und wünschten sich ein gleiches Schicksal, falls sie einmal heiraten sollten. Aber die Mädchen fanden es bestimmt nicht schön und gaben an, es sei gegen alle Ehrbarkeit. Als nun der Abend kam, gingen wir alle froh nach Hause, nachdem ich sie zum Guten ermahnt hatte. Aber die Braut erbat die Erlaubnis, einige Tage bei sich bleiben zu dürfen. Dies war nun nicht meine Sache, darüber solle sie mit ihrem Mann sprechen, sagte ich zu ihr. Ich weiß nicht, wie es sich weiter entwickelt hat, denn am nächsten Morgen segelte ich los und empfahl sie der Macht Gottes.

V. Arnarsaaq und Tullimak (1740/88)

Die folgende Übersetzung folgt ebenfalls der von Mads Lidegaard besorgten modernisierten Neuausgabe von Paul Egedes ursprünglich 1788 erschienenen *Efterretninger om Grønland, uddragne af en Journal holden fra 1721 til 1781*, Paul Egede 1988, S. 140–142.

Es behagte dem König, meine zwei Grönländer zu sehen und zugleich allergnädigst meine alleruntertänigste Berichterstattung über den Zustand der Mission auf Grönland zu hören. Die Königin und die Fürstin, ihre Schwester, waren zugegen. Ein Tisch stand bereit mit vielen schönen Dingen, die bei ihnen begehrt waren, und der König befahl, man solle ihnen sagen, daß sie davon nehmen sollten, wozu sie am meisten Lust hätten. Anfangs waren sie schüchtern und nahmen etwas von dem Geringsten. Der König gab ihnen zu verstehen, daß sie sich mehr Dinge aussuchen sollten, und als das Mädchen nicht mehr auf ihrem Arm haben konnte, steckte sie es in ihren Hut, wozu die Herrschaften lächelten und sie aufforderten, mehr auszuwählen. Zum Schluß konnten weder ihre Hände noch Hüte mehr aufnehmen. Der Dank des Mädchens war: »Großer Herr, großes Geschenk, woher soll ich angemessenen Dank nehmen? Sei glücklich auf der Erde, Du wirst es gewiß im Himmel werden.«

Im Speisegemach des Königs war ein kleiner Speisetisch für sie hingestellt worden, weil man sehen wollte, wie sie sich verhalten würden. Sie sagten, daß sie sich die Pracht und Herrlichkeit nicht hätten vorstellen können, die sie hier sahen, und schlössen daraus, daß, wenn die Herrlichkeit bei den größten Herren auf Erden so groß sei, wie groß müsse sie dann erst im Himmel bei dem allergrößten Herrn sein! Daß Muscheln auf die Tafel des Königs gesetzt wurden, wunderte sie, da sie meinten, daß diese Speise zu gering sei; und als ein Schwarzer ihnen davon welche brachte und sie merkten, daß er neugierig war, wie sie sie essen würden, sagten sie zu ihm: »Schau, wir öffnen sie, nehmen die Speise heraus und essen sie wie anderes Essen. Du schaust mich genau an«, sagte das Mädchen, »und denkst, wie häßlich sie sind! Aber du bist viel häßlicher.« Und als dem Schwarzen die Worte erklärt wurden, mußte er selbst darüber lachen, und mehr noch, als er zu wissen bekam, daß sie ihn darum bat, nicht zu lachen, denn dann werde er noch häßlicher.

Sie wünschte sich, daß ihre Landsleute die Andacht des Königs vor und nach der Tafel gesehen hätten; sie glaubte, es würde Eindruck auf sie gemacht haben, einen so großen Herrn so ehrfürchtig vor Gott, dem allerhöchsten Herrn, zu sehen. Als sie das Vorzimmer verließ, wandte sie sich zu den Damen und Kavalieren um: »Ihr rechnet alle damit, in den Himmel zu kommen, das tue ich auch, dort werde ich euch wiedersehen.« Darauf sagte sie »Farvel« auf dänisch, was sie »Parvel« aussprach, weil sie kein F sprechen können.

Das Mädchen wurde später sehr krank und glaubte selbst, die Krankheit führe zum Tode, und fragte mich deshalb, ob sie nicht, ohne Gott zu mißfallen, so beten könnte, wie sie dachte: »Lieber Gott, Dir steht es zu, ob ich leben oder sterben soll in diesem Land. Ich habe keine Lust, hier zu sterben, denn dann werde ich für meine Landsleute nicht von Nutzen sein. Ich möchte lieber leben und wieder in mein Land kommen, um mein Volk Dich und Deinen Sohn Jesus Christus kennen zu lehren, damit viele mit Dir selig werden können. Du bist meiner ja doch sicher, und es eilt nicht, du kannst mich ein andermal holen, wenn ich Geringer Deinen Willen bei meinen Mitmenschen ausgerichtet habe.« »So habe ich gedacht, und ich habe gesprochen, wie ich gedacht habe, und ich glaube nicht, daß es Gott mißfallen hat. Deshalb läßt er mich wohl leben, glaubst du nicht auch?« sagte sie zu mir. »Ja, ich lobe deine Absicht, und es wird mich freuen, wenn Gott dich leben läßt und du hältst, was du versprochen hast.«

Tullimak sagte: »Ich finde, es wäre genug gewesen, wenn Arnarsaaq bloß gedacht hätte, was sie sagte, ohne es laut zu sagen. Das tue ich. Wenn ich mit Gott allein bin, dann denke ich nur und wünsche.« Ich antwortete: »Für Gott ist es genug, denn ich handle auf dieselbe Weise. Wenn man mit Gott im verborgenen ist, ist man ohne Zwang in Worten und Taten. Man kommt mit der Sprache des Herzens hervor, und es ist Gott gleichgültig, ob man laut redet oder nur denkt, wenn nur die versteckte Andacht gut ist, ob man nun steht, geht oder liegt. Aber wenn die Rede für uns selbst und andere öffentlich ist, da muß sie überlegt und den verschiedenen Zuhörern, die wir haben, angepaßt sein, und die äußeren Gebärden und Zeichen der Ehrfurcht, die wir zeigen sollen, müssen der Sitte des Landes folgen.« (Die Grönländer haben keine äußeren Zeichen für Ehrfurcht.) Hier erinnerte Arnarsaaq daran, was ich einmal gesagt hatte: daß, wenn man laut für sich selbst und andere spricht, man mit seiner Aussprache und Gebärden seine Zuhörer mehr in Bewegung setzen könne, als wenn man leise für sie bete. Dies hatte sie richtig gefunden.

Diese beiden betenden Kranken, sowohl die sprechende als der denkende, wurden von ihrer Krankheit befreit und reisten mit Freude wieder in ihr Vaterland. Was die erste gelobt hatte, hat sie, wie ich später hörte, bei allen Gelegenheiten treu gehalten. Der letztere kam unvorsichtigerweise in seinem Kajak um, was mich sehr bekümmerte, da ich guten Gru0nd hatte, von diesem jungen Menschen Großes zu erhoffen.

VI. Maria, Andreas, Jørgen (1746)

Die folgende Übersetzung folgt, unter Zuhilfenahme der von Mads Lidegaard 1988 besorgten modernisierten Neuausgabe, Paul Egedes 1788 auf dänisch erschienenem Buch *Efterretninger om Grønland, uddragne af en Journal holden fra 1721 til 1781*, S. 220–226 (1988, S. 145–148).

1746. Mit einem Missionar aus Godthaab folgten fünf Grönländer. Von diesen kamen zwei Jungen, Andreas und Jørgen, zu mir, um als Katecheten geschult zu werden. Ein Mädchen und zwei Jungen blieben bei Missionar S., um zum Frühjahr wieder in ihr Land zu reisen. Während einer Geselligkeit bemerkte das Mädchen an dem Ausdruck einer Jungfrau, daß sie (das heißt das Mädchen) in ihren Augen (das heißt in den Augen der Jungfrau) nicht schön war, was das Mädchen auch selbst eingestand, und das Mädchen bat mich zu dieser Jungfrau, die ihre Schönheit zur Schau trug und sie (das heißt das Mädchen) verachtete, zu sagen: »Ganz wie sie selbst aus Erde sei, so sollte sie doch, wenn sie übel über jemanden reden wolle, der ihre Sprache nicht verstehe, nicht zugleich auf sie blicken und lachen. Damit treibe man Spott mit Fremden. Jetzt will ich auch auf sie blicken, während du ihr meine Worte sagst«, welches sie dann mit ebenso höhnischer Miene tat wie jene. »Frage sie nun«, sagte sie, »ob ich ihr immer noch schmecke«[5].

Diese Grönländerin hatte einen natürlichen Verstand, war aber darüber hinaus sehr cholerisch. Sie hatte darum oft ihren Pfarrer mit ihren vielen Einwänden und Widersprüchen erzürnt, worüber dieser, der ähnlichen Sinnes war,

5 Paul Egede fügt erklärend hinzu: »Dies ist eine Frauenzimmer-Redeweise für Verleumdung: Mamaranga heißt: ich schmecke sie.«

erboste und es ihr übelnahm. Sie klagte darüber, daß er sie geschlagen habe, weil sie nicht glauben könne, daß Gott so streng sei, wie er ihn darstelle. Er hatte gesagt, daß alle ihre Vorfahren bei Tornarsuk seien und ewig gepeinigt würden, weil sie Gott und seinen Sohn Jesus nicht kannten. Wenn sie antwortete, daß sie das nicht wüßten und niemand es ihnen gesagt habe, erboste er sich. Als sie einmal sagte, daß sie gerne etwas hören wolle, was sie ohne weiteres glauben könne, und nicht etwas, von dem sie wünschen müsse, daß es unwahr sei, und daß sie es schrecklich finde zu hören, daß Gott denen so fürchterlich zornig sei, die etwas verkehrt machten, daß er ihnen in aller Ewigkeit nicht vergeben könne, so wie andere böse Menschen es zu tun pflegten, »da bekam ich«, so sagte sie, »Schläge für diese Worte, und darum sagte ich in meinem Zorn: ›Sollte Gott wirklich desselben Sinnes sein wie du, da ahmst du ihn gut nach, aber ich kann es nicht glauben‹. »Ich habe versucht«, sagte sie zu mir, »mich selbst zum Glauben zu zwingen, aber mein Inneres wollte mir nicht gehorchen. Wenn ich von dir höre, daß Gott unendlich gut ist, daß er der allerliebevollste ist, dann glaube ich mit Lust und Freude, und sollte er, der so viele fromme und gute Menschen geschaffen hat, selbst nicht der beste sein? Ich meine in mir selbst, daß dies sicher glaubwürdigerer ist, als daß ich das böseste Weib wäre, das er mich zu nennen pflegt. Du sagst: ›Gott ist Liebe!‹, und das ist ein guter Gedanke, das ist ein passender Name für Gott. Um dir zu glauben, bedarf es keiner Überredung, denn ich finde sogleich, daß es wahr ist.«

Sie dankte Gott, daß sie von mir in dem Gedanken bestärkt worden war und ihn nun lieben konnte, während sie zuvor wünschte, daß es keinen Gott gebe, da er so schrecklich geschildert worden sei. »Jetzt kann ich an ihn glauben, und er zieht mich an sich mit seiner Liebe, und ich kann nicht anders als ihn wieder zu lieben.«

Dieser Missionar hatte das wahre Zeugnis, daß er ein arbeitsamer, fleißiger und eifriger Lehrer war, aber streng und viel zu ernst, sogar in unschuldigen Dingen, er ertrug es nicht, daß die Jungen spielten, sich mit dem Ball vergnügten und auf dem Robbenfell die schneebedeckten Berge hinunterglitten, was wie das Skilaufen der Ertüchtigung wie dem Vergnügen dient. Auf jenen steht man, und auf den Fellen sitzen sie, das ist der Unterschied. Einer der Jungen hatte eines Tages zweimal Prügel bekommen, weil er trotz Befehl auf dem Schnee geglitten war. »Aber du, Maria, hast mehr Prügel bekommen als ich«, sagte er, »weil du Tornarsuk entschuldigen wolltest.« »Ich sagte nichts anderes, als daß Tornarsuk mich wohl in Frieden lassen würde, wenn ich ihm nicht selbst gehorchen wolle. Ich habe Tornarsuk niemals gefürchtet, denn ich habe nie etwas von ihm gemerkt. Aber vor dem Pastor habe ich mich immer gefürchtet, aber jetzt nicht mehr, denn er ist mir gegenüber gütig geworden.«

Andreas, der einmal jemanden traf, der Mist aus der Stadt fuhr, wunderte sich sehr darüber, daß dieser so froh war und sang, obwohl seine Kleider lumpig waren, seine Karre häßlich und schmutzig, voll vom Mist der Tiere, und er fragte, wo er den Mist hinfahren müsse. Ich antwortete: »Auf das Land, um die Erde fruchtbar zu machen, wo Korn und andere Speise gesät wird.« »Dann ist es also aus Freude darüber, daß er so lustig singt?« sagte er. »Nein«, antwortete ich, »seine Freude kommt vielleicht vom Branntwein, den sie zu Recht das irremachende Getränk nennen. Aber glaubst du, Andreas, daß dein Volk sich dazu bequemen könnte, den Abfall ihrer Mitmenschen wegzubringen? Dazu haben wir Leute, die den Dreck des Nachts wegfahren, um niemanden zu stören.« Er meinte, daß sie das keineswegs könnten, und erinnerte mich daran, wie verachtet ein Matrose war, der in Grönland für die Kühe sorgte. Denn da sie den Mann, der anderen ein Diener sein will, gering und elend achten, so ist der noch weit geringer, der für die Tiere ein Diener sein will. *Nersutit kivgæt*, »Diener der Kühe«, so nannten sie ihn. Wer sich nicht behauptet, nicht sich selbst und seine Kleider achtet, seien sie nun sauber oder schmutzig, ob man ihn ehrt oder nicht, der wird nicht anerkannt. Denn so gering wie im Äußeren, so oft auch im Inneren.

Die gute Maria – so hieß das grönländische Mädchen – hat mich vor kurzem verstehen lassen, daß weder ich noch ihr Pastor ihr so auf ihre Frage geantwortet hätten, daß sie zufrieden sein könne, ob Gott nicht Adam daran hätte hindern können, sich zu versehen, und warum er das nicht getan habe. Dann wären Adams Nachkommen nicht verdorben und sein Sohn Jesus davor verschont worden, dafür zu leiden. Sie wollte dies so beantwortet haben, daß sie in sich bestätigen und fühlen konnte, daß es wahr sei und sie diejenigen zum Schweigen bringen konnte (*okausiksœrrullugit*: sie unter den Leuten zum Schweigen bringen; Paul Egedes Anmerkung), die so viel über diesen Teil unserer Lehre zu sagen hätten. Ich fragte sie, ob sie glaube, daß die Menschen anders geschaffen worden sein könnten und sollten, als sie sind. Sie antwortete: Ja, sie meinte, daß sie keine Lust zum Bösen haben sollten, nur zum Guten. »Du willst«, antwortete ich, »daß sie den Tieren gleichen sollten, dem Bär, dem Fuchs, dem Ren, dem Hund usw., die können nicht sündigen, sie wissen nicht, was gut und böse ist. Sie haben nicht wie der Mensch ein inneres Gesetz bekommen, nach dem sie ihre äußeren Handlungen einrichten können. Es ist ihnen angeboren, ihrer Art nicht zu schaden, ein jedes Tier ist getrieben, seine Speise zu suchen, die bereit für es ist, und die, die vom Raub leben, tun dies mit größerem Recht als die Menschen, da sie dazu geschaffen sind, der Bär mit Klauen und Zähnen und der Fuchs mit Verschlagenheit. Auf diese Weise verhält es sich mit den Tieren auf der Erde, den Fischen im Meer und den Vögeln in der Luft[6]. In einem sol-

---

6 Paul hat an dieser Stelle des Textes folgende Fußnote hinzugefügt: »Schneehühner haben etwa ein Dutzend Küken; Eidergänse 6 bis 7, und Enten doppelt so viele. Dahingegen haben Alder und Falken nur 2; denn wenn sie ebenso viele hätten wie die wehrlosen, dann würden sie sie bald ausrotten, weil ihre Nester auf offenem Feld leicht auszumachen sind. Im Gegensatz dazu sind die Nester des Falken oder Adlers unzugänglich in den hohen, steilen Bergen; deren Geschlecht darf auch nicht aussterben. Aber damit die Schneehühner von ihren Feinden nicht so leicht entdeckt werden

chen Zustand leben sie nach ihrer Natur glücklich und zufrieden. Da sie keine menschliche Vernunft besitzen, fühlen sie mit ihren Sinnen nur das augenblickliche Übel. Sie trauern nicht über das Vergangene und fürchten sich auch nicht vor dem, was kommt. So sind sie also glücklicher als der Mensch, aber würdest Du tauschen wollen, wenn es möglich wäre, und lieber ein Ren als ein Mensch sein?« »Ja, das würde ich«, sagte sie, »wenn ich nicht die Vernunft hätte, die Gott mir gegeben hat, aber da ich nun weiß, daß es ein besseres Leben gibt als dies, so tausche ich nicht mit dem Tier, dem Ren. Du hast mich gelehrt, daß wir mit Gottes Gesetz in uns geboren werden, und ich habe gefunden, daß das wahr ist. Das Gesetz ist durch das offenbarte Wort deutlicher geworden: dort lernen wir, wie wir uns gegen uns selbst und unsere Mitmenschen verhalten sollen. Die Vernunft, die Gott uns gegeben hat, um damit diese Wahrheiten zu beurteilen, die soll unseren Willen beugen, damit wir Gottes Willen tun, und so können wir glücklich werden sowohl hier als im kommenden Leben.«

1747. Diese Grönländerin hat mich oft mit ihrer großen Wissenslust und vernünftigen Denkweise vergnügt. Sie ist mir darüber hinaus bei meinen Übersetzungen mit der Sprache sehr behilflich gewesen. Wenn sie einen Fehler hörte, erlaubte sie nicht, ihn unverändert stehen zu lassen, sondern suchte statt dessen nach einem passenderen Wort und fand darin eine Freude, die mir wiederum Lust zur Arbeit gab, und da es beschlossen war, daß sie in diesem Frühjahr wieder in ihr Vaterland reisen sollte, versäumte ich keine Gele-

---

können, sind sie weiß wie der Schnee im Winter und im Sommer braungefleckt wie das Feld und die Steine. Ebenso die Rentiere, grauweiß im Winter und dunkel im Sommer. Gottes Weisheit läßt sich überall erkennen und merken; die Rentiere fallen dort nicht zur Ruhe, wo sie keine Aussicht haben, und lassen sich deshalb in den größten Ebenen nieder, wo sie Aussicht nach allen Seiten haben, und versammeln sich mit ihrem Hinterteil zueinander, so daß sie alle Wacht um sich herum halten können.«

genheit, um mich ihrer Tüchtigkeit zu bedienen, um noch mehr Einsicht in diese gut eingerichtete, regelrechte Sprache zu gewinnen.

Es war diesem anstelligen Mädchen ein Ärgernis, täglich gefragt zu werden, was mit ihrem Kinn los sei, ob es ein Bart oder Dreck sei oder ob sie mit solch einem Kinn mit getüpfelten Streifen[7] geboren würden. Sie mußte hören, daß das, was ihr in Grönland zum Schmuck ihres Geschlechts gereichte, häßlich sei, wie der Kupferstich auf Seite 4 zeigt.

---

7 Hier ist von einer Tätowierung die Rede.

VII. Poul Grönländers Brief (1756)

Die folgende Übersetzung folgt, unter Zuhilfenahme der von Mads Lidegaard 1988 besorgten modernisierten Neuausgabe, Paul Egedes 1788 auf dänisch erschienenem Buch *Efterretninger om Grönland, uddragne af en Journal holden fra 1721 til 1781*, S. 229–236 (1988, S. 151–153).

Folgender Brief ist eine Übersetzung eines grönländischen Briefes, der mir dieses Jahr von einem Grönländer zugesandt worden ist, der von meinem Vater nach mir auf den Namen Poul getauft worden ist. Er scheint mir besonders deshalb zur Veröffentlichung geeignet zu sein, weil man sich sonderlich von einem so dummen Volk, als das man die Grönländer betrachtet hat, solche Gefühle nicht hätte erwarten sollen.

Liebenswerter Pauia!
Du weißt selbst, wie lieb und angenehm mir Dein Schreiben ist, aber wie erschrak ich, als ich von dem Untergang der vielen Menschen bei jenem Erdbeben las, das wir nicht hören konnten und von dem Du erzählst, daß es in einem Augenblick mehr Menschen erschlagen habe, als in unserem gesamten Land wohnen. Ich kann nicht schreiben, wie bewegt ich darüber ward und wie sehr wir darüber erschraken, daß so viele von dem Ort flüchteten, wo sie wohnten, zu einem anderen, felsigen Ort, der aber ebenso unsicher war. Denn auch bei uns sehen wir, daß die Felsen von oben bis unten geborsten sind, aber niemand von uns weiß, wann es geschehen ist. Felsen aus Feldstein, aus denen unser Land besteht, sind für Gott ebenso leicht zu erschüttern wie die Sandhügel bei Euch. Gott hat alles in seiner Macht, wir kleinen, unansehnlichen Tiere lassen uns leicht darin verstecken.

Du läßt mich wissen, daß der Winter bei Euch weder Schnee noch Kälte gebracht hat, und schließt daraus, daß er bei uns um so strenger gewesen sein muß. Aber wir hatten einen ungewöhnlich milden Winter. Ich höre, daß Eure Gelehrten meinen, die Ursache dieses milden Klimas seien die heißen Dämpfe, die bei einem Erdbeben aus der Erde hervorkommen und sie erwärmen und den Schnee schmelzen. Aber wenn ich nicht gehört hätte, daß die Gelehrten dies gesagt haben, dann hätte ich gemeint, daß die warme Luft aus der Erde nur wenig verschlägt, um die hohe und breite Luft zu erwärmen, ebensowenig wie der Atem eines Menschen ein Haus durch einmal Ein- und Auspusten erwärmen kann. Die südlichen Winde, die immer warm sind und bei uns in diesem Jahr immer geweht haben, sind die Ursache dafür, daß hier so wenig Kälte gewesen ist. Aber warum der Südwind geweht hat, das weiß ich nicht, und die Gelehrten wissen es vielleicht auch nicht.

Sind die armen Menschen, die umgekommen sind, von der Hitze ermordet worden, oder hat sie die Erde verschluckt, oder sind sie zu Tode geschüttelt worden? Schiffer B. meinte, daß ihre Häuser über ihnen zusammengefallen seien und sie erschlagen hätten. Es sieht nicht so aus, daß es Euren Leuten sehr zu Herzen ginge. Denn die sind nicht nur froh und zufrieden, sondern sie erzählen auch, daß die zwei Nationen, die hier auf Walfang kommen, sich zu Wasser und zu Lande schlagen und einander totschießen, auf die Jagd aufeinander gehen wie wir auf die Robben und Rene; daß sie Schiffe und Waren voneinander und von Leuten stehlen, die sie nie gesehen haben oder kennen, bloß weil ihr oberster Herr es so wünscht.

Als ich durch einen Dolmetscher den Schiffer nach dem Grund für eine solche Unmenschlichkeit fragte, antwortete er, daß es von einem Stück Land herrühre, quer gegenüber von unserem und so weit weg, daß eine Seereise dorthin drei Monate dauert. Da dachte ich, daß ihnen bei ihnen selbst Land zum Bewohnen fehle, aber das verneinte er, es sei nur der Gier der großen Herren nach mehr Leuten und mehr Reichtum zu verdanken. Ich wunderte mich so sehr über die Begierde und erschrak so davor, daß sie auch uns treffen könnte, daß ich fast meine Seele verloren hätte. Aber ich wurde gleich wieder frohen Mutes – Du kannst kaum raten, warum: Ich dachte sogleich an unser schneebedecktes Land und unsere armen Einwohner und sagte zu mir selbst: »Gott sei Dank, wir sind arm und besitzen nichts, was diese gierigen Kablunakken (so nennen sie alle Fremden) begehren können. Was wir über der Erde besitzen, wollen sie nicht haben, und was wir für Kleidung und Speise brauchen, schwimmt im großen Meer – und davon können sie so viel nehmen, wie sie finden können, da wird immer noch genug für uns sein. Wenn wir so viel Speise haben, wie wir essen können, und so viele Felle, daß wir der Kälte standhalten können, dann sind wir zufrieden. Und Du weißt selbst, daß wir den Tag des nächsten Morgens für sich selbst sorgen lassen.«

Wie wir also mit niemandem darum Krieg führen, selbst wenn wir die Macht dazu hätten, obwohl wir genau so gut wie die Gläubigen im Osten über die Ungläubigen im Westen sagen können, daß sie und, was sie besitzen, ihr Eigentum sei. Wir könnten sagen, das Meer, das an unser Land stößt, sei unser Meer, daß es unsere Wale, Pottwale, Springer, Narwale, Weißlinge, Robben, unser Heilbutt, Lachs, Kabeljau und unsere Seeskorpione sind, die darin herumschwimmen, aber wir gönnen es anderen gern, so viel von dem großen Vorrat zu nehmen, wie sie lustig sind. Wir sind so glücklich, daß wir keine so große natürliche Gier haben wie sie.

Ich habe mich oft über die Christen gewundert und selbst nicht gewußt, was ich von ihnen denken soll. Sie verlassen ihr eigenes, schönes Land und leiden viel Böses in diesem für sie harten und garstigen Land, nur weil sie uns zu ordentlichen Menschen machen wollen, aber hast Du wohl so viel Böses seitens unserer Nation gesehen, hast Du wohl eine so merkwürdige und unsinnige Rede bei einem von uns gehört? Ihre Lehrer unterweisen uns darin, wie wir den Teufel meiden sollen, den wir niemals gekannt haben, und die übermütigen Matrosen beten mit dem größten Ernst, daß der Teufel sie annehmen und zerspalten solle. Du erinnerst Dich wohl selbst, daß ich solche Redeweisen in meiner Jugend von ihnen gelernt habe, um sie zu erheitern, ohne selbst zu wissen, was sie bedeuten. Aber dann hast Du mir verboten, sie zu gebrauchen. Und nachdem ich sie verstehen gelernt habe, habe ich mehr gehört, als ich hören wollte.

Besonders in diesem Jahr habe ich viel von den Christen reden hören. Wenn ich durch langen Umgang nicht so viele gute und redliche Christen gekannt hätte und wenn Hans Pungiok und Arnarsaaq, die in Eurem Land gewesen sind, nicht erzählt hätten, daß dort viele fromme und züchtige Menschen sind, dann würde ich mir gewünscht haben, daß wir sie niemals getroffen hätten, so daß sie unser Volk nicht verderben könnten. Du hast wohl mehr als einmal gehört, daß meine Landsleute von Dir und den Deinigen glaubten, daß ihr zur Anständigkeit in unserem Land erzogen wäret, und daß sie, wenn sie einen frommen Menschen unter Euch gesehen haben, gerne sagen: »Er ist wie ein Mensch oder Grönländer!« Du erinnerst an den Einfall des lustigen Okako, Hexenmeister (Angekokken) in Euer Land zu schicken, damit sie ihnen beibringen würden, ordentliche Menschen zu werden, ganz wie Euer König uns Pastoren geschickt hat, um uns zu lehren, daß es einen Gott gibt, was wir zuvor nicht wußten. Aber ich weiß, daß sie genug Unterweisung haben, deshalb nützt dieser Vorschlag nichts.

Es ist schon merkwürdig, mein lieber Pauia, daß Eure Leute wissen, daß es einen Gott gibt, aller Dinge Schöpfer und Erhalter, und daß sie nach diesem Leben entweder glückselig oder unglückselig sein werden, je nachdem, wie sie sich aufgeführt haben; daß sie aber dennoch leben, als wäre es ihnen befohlen, sich übel zu betragen, und es ihnen zum Vorteil und zur Ehre gereiche, zu sündigen. Meine Landsleute dagegen wissen weder, daß es einen Gott, noch daß es einen Teufel gibt. Und sie glauben auch weder an Belohnung noch Strafe nach diesem Leben, sondern leben anständig, gehen liebevoll miteinander um, teilen friedlich miteinander und essen gemeinsam. Zwar gibt es auch unter uns Üble, was zeigt, daß wir ein und demselben Stamme zugehören, aber daß die meisten untadelig sind, läßt sich vielleicht aus unserem unfruchtbaren Land erklären. (Du denkst hoffentlich nicht, daß ich für mein Volk heuchele, denn Du weißt aus eigener Erfahrung, daß es stimmt.)

Wenn ich von Eurem guten Land habe reden hören, habe ich oft dessen Einwohner für glückselig erachtet, da sie einen so großen Überfluß genießen an wohlschmeckenden irdischen Früchten, Tieren, Vögeln, Fischen verschiedenster Art, gut eingerichteten, großen und prächtigen Häusern, schönen Kleidern, langen Sommern, kein Schnee, keine Kälte, keine Mücken, sondern alle Dinge behaglich und nach Wunsch; und ich dachte, daß diese Glückseligkeit Euch gehöre, bloß weil Ihr gläubig und wie Gottes eigene Kinder seid, daß wir aber – als Ungläubige – zur Strafe in unser Land versetzt worden seien.

Aber ach! Wir glücklichen Grönländer! Ach, du liebes Vaterland! Wie gut, daß du in Eis und Schnee versteckt bist, wie gut, daß die Felsen, wenn sie denn das Gold und Silber enthalten sollten, das die Christen so sehr begehren, von so viel Schnee verborgen sind, daß man sich ihnen nicht nähern kann. Deine Unfruchtbarkeit macht uns glücklich und hält uns von Gewalt frei. Pauia, wir sind wirklich zufrieden mit unseren Verhältnissen. Bloß Fleisch und Fisch sind unsere Speise, Leckereien fallen nur selten an, sind uns aber dann um so willkommener. Das eiskalte Wasser ist unser Getränk, das löscht den Durst und beraubt uns nicht des Verstandes und trennt uns nicht von unseren natürlichen Kräften wie das irremachende Getränk, daß Eure Leute so sehr schätzen. Unsere Kleider bestehen aus unansehnlichen dickhaarigen Fellen, passen aber gut zu diesem Land sowohl für die Tiere, solange sie sie tragen, als auch für uns, die wir sie danach von ihnen übernehmen. Hier gibt es, Gott sei Dank, nicht so viel, daß es jemanden gelüsten könnte, uns dafür umzubringen. Wir leben da ohne Furcht. Zwar haben wir hier im Norden die grausamen weißen Bären, aber gegen die haben wir unsere Hunde, die für uns kämpfen, so daß wir ganz außer Gefahr sind. Von Mord hört man sehr selten bei uns, und so etwas kommt auch nicht vor, ohne daß einer von einem Hexenmeister verdächtigt oder angeklagt worden ist, jemanden mit seiner Hexerei umgebracht zu haben. So einer wird ohne Erbarmen von jenem getötet, der ein ebenso großes Recht darauf zu haben meint wie der Henker in Eurem Land, einem Verbrecher das Leben zu nehmen. Aber sie halten sich nichts darauf zugute und danken auch nicht etwa Gott dafür wie die großen Herren in Eurem Land, wenn sie alle Einwohner eines Landes totgeschlagen haben, wie D. mir erzählt hat.

Sie danken und lobpreisen doch wohl nicht etwa den guten Gott, von dem Ihr uns lehrt, daß er das Töten verboten hat? Es muß ein anderer Gott sein, der Mord und Zerstörung liebt – ist dies etwa Tornarsuk? Nein, der kann es auch nicht sein. Denn man handelte dem frommen Gott zuwider, wenn man dem Satan die Ehre geben würde. Hierüber wirst Du mich wohl bei Gelegenheit unterrichten können; ich verspreche Dir, mit meinen Landsleuten nicht darüber zu sprechen. Die könnten darüber auf denselben Gedanken kommen wie Kaua, der nicht wagte, ein Christ zu werden, aus Furcht davor, daß er dann den üblen Matrosen ähnlich würde.

Über die Bekehrung meiner Landsleute möchte ich nichts weiter berichten, denn ich weiß, daß unser Lehrer davon erzählt hat. Den Fragen, die Du mich zu untersuchen gebeten hast, werde ich nachzukommen versuchen, soweit ich kann und sie verstehe. Den Versuch mit dem Kompaß habe ich nicht durchführen können, weil die Kälte dieses Jahr nur mäßig war. Die Ursache der zwei gegenläufigen Ströme ist wohl die, die Du angezeigt hast. Weil Du die zwei Fische so hoch achtest, die sich fast zu Stein verwandelt haben, will ich versuchen, Dir weitere zu verschaffen. Es gibt sie im Lehmboden ganz so, wie Du gefolgert hast.

Jetzt habe ich gleichsam mit Dir gesprochen und Du mit mir, jetzt muß ich meinen Brief beschließen. Der Schiffer ist bereit und der Wind ist gut. Unser gemeinsamer mächtiger Beschützer möge sie wohlerhalten über das große, gefährliche Meer führen und besonders vor den schlimmen Menschenjägern bewahren, vor denen sie sich am meisten fürchten, so daß sie unverletzt in ihr Vaterland kommen und Dich, mein Liebenswerter, in Freude finden mögen.

Grönland 1756.
Poul Grönländer

VIII. Okako (1776)

Die folgende Übersetzung folgt, unter Zuhilfenahme der von Mads Lidegaard 1988 besorgten modernisierten Neuausgabe, Paul Egedes 1788 auf dänisch erschienenem Buch *Efterretninger om Grønland, uddragne af en Journal holden fra 1721 til 1781*, S. 247–249 (1988, S. 162f.).

Mit dem aus Julianehåb heimgekehrten Schiff folgte ein älterer Grönländer namens Okako, der diese Reise aus reiner Neugier unternommen hatte. Er hatte nie zuvor ein Schiff gesehen und war ganz fremd für unsere Leute, als er an Bord kam. Ich war der erste hier, zu dem er kam, und er begrüßte mich mit folgenden Worten: »Deine Freundlichkeit ist über unser ganzes Land bekannt, sie hat mich über das große Meer zu Dir gezogen, um etwas zu holen, was ich meinen Mitmenschen erzählen kann. Auf meinem Weg hierher habe ich schon merkwürdige Dinge gesehen, ich habe Menschen mit großen Tieren auf dem Wasser fahren und Menschen unter meinen Füßen sowohl rudern wie segeln gesehen. Das große Haus des Königs konnte ich nicht sehen, weil es dunkel war.« Die guten Freunde, die bei mir waren, baten mich, ihm zu sagen, daß er genug zu erzählen haben würde, wenn er über den Winter bei uns bliebe. Hierauf antwortete er: »Wenn ich nichts anderes zu erzählen hätte, dann habe ich genug über Eure Menschlichkeit [zu erzählen].« Als sich zum Winter das Eis legte, bekam er Lust, mit einer kleinen Harpune auf das Eis hinauszugehen, um Robben zu jagen, und kam nicht nach Hause, bevor es dunkel geworden war. Er hatte nichts gefangen, denn er kam nicht recht weit vom Land, bevor ein rotgekleideter Mann ihn anrief. »Ich freute mich und wartete auf ihn«, sagte er, »dachte, daß ich einen Kameraden gefunden hätte, der mir den besten Fangplatz zeigen könnte, weil er einen Spieß als Degen vorne an seiner

Flinte hatte, um damit Robben zu stechen. Aber er wollte mich mit zurücknehmen und packte mich am Arm. Ich bat ihn zuerst, mit mir auf Jagd zu gehen, aber er verstand mich nicht und ich ihn nicht, und ich folgte ihm zu einem Haus am Strand, wo es viele solche Rotgekleideten mit Flinten gab. Der, von dem ich glaubte, daß er ihr Herr war, sagte viel zu mir, was ich nicht verstand, zwei von ihnen befühlten meine Stiefel, Hosen und Ärmel. Als ich befühlt wurde, fürchtete ich überhaupt nicht, daß sie mir weh tun würden, aber ich konnte nicht begreifen, warum sie es taten. Sie redeten wieder und besahen meine Einhornstange[8] mit der Harpune darauf. Ich sagte zu ihnen, das sei Pauias[9] Harpune, die er mir geliehen habe, damit ich damit Robben fangen könnte. Schließlich kam einer herein, der mich vielleicht kannte, denn sie ließen mich daraufhin sogleich gehen.« Ich habe später erfahren, daß der Bajonettwächter ihn als Deserteur zur Zollamtwache gebracht hatte. Dies konnte ich ihm nicht erklären, denn sie wissen weder etwas von Krieg noch von Soldaten, weswegen die ersten, die hier in die Stadt kamen und die Wachparade sahen, glaubten, daß es lauter Robben- und Rentierfänger seien, die sich im Haus des Königs versammelten, um alle zusammen auf Jagd zu gehen und den vielen Menschen Speise zu verschaffen.

Als man dem Fremden unsere Kirchen zeigte, über die er sich nicht genug verwundern konnte, drückte er sich folgendermaßen aus: »Es ist, als ob sie aus der Erde hervorgewachsen und von selbst gekommen wären.« Womit er sagen wollte, daß es menschliche Kräfte übersteige. Hier fand ich gute Gelegenheit, ihn den Gott kennenlernen zu lassen, den wir dort verehren. Seine Lust wuchs, und es kam so weit, daß ich ihn für wert erachtete, durch die heilige Taufe in Gottes Kirche eingemeindet zu werden. Herr Probst Thorhallesen, ehe-

---

8 »Einhornstange« war eine damals geläufige Bezeichnung für einen bearbeiteten Narwalzahn.

9 Also Paul Egedes.

maliger Missionar in Grönland, hielt von der Kanzel eine Predigt auf dänisch und ich in des Kandidaten eigener Sprache vor dem Altar, wo ihm der königlichen Herrschaft hoher Name Christian Julius Frederik gegeben wurde. Er reiste daraufhin in sein Land zurück, froh und vergnügt mit seinen erworbenen geistlichen und irdischen Gütern.

IX. Holberg, Epistel über die Grönländer in Dänemark (1750)

Die folgende Übersetzung folgt dem Text von Epistola CCCL in der von Billeskov Jansen besorgten Neuausgabe des ursprünglich 1750 erschienenen 4. Bandes von Holbergs Epistelsammlung (Holberg 1944–1954, Bd. IV, S. 129–134).

Mein Herr schreibt, daß er mit Vergnügen die ihm zugesandte Beschreibung Grönlands gelesen habe. Er sagt, daß die Schrift mehr Absatz haben möge, da sie seltene und bisher unbekannte Dinge enthalte und man daran zeigen könne, wie Religion und Moralität mit der Zeit bei einem Volk gänzlich vergehen könnten, so daß nicht die geringsten Reste übrigblieben.

Man weiß, daß das Land vor einigen 100 Jahren von nordischen Leuten und Christen besucht worden ist, aber man findet nicht die geringsten Spuren von Religion, Sprache und nordischen Sitten. Man meint wohl, daß die jetzigen Grönländer alle die ältesten Bewohner des Landes sind und daß die nordischen Kolonien entweder mit der Wurzel ausgerottet worden oder ganz ausgestorben sind. Aber das scheint kaum glaublich.

Wahrscheinlicher scheint es, daß die zuletzt Angekommenen sich mit den ältesten Einwohnern vermengt haben, so daß sie zu einem Volk geworden sind, und daß durch eine solche Mischung Sprache, Religion und alles andere von den Nordischen Mitgebrachte mit der Zeit vergessen wurde, wofür wir mehrere Beispiele in der Geschichte haben. Gesichert ist, daß die jetzigen Grönländer ganz ungebildet, grob und einfältig sind, aber man hat bei verschiedenen Nationen, besonders in Afrika und Amerika, eine größere Immoralität und Einfältigkeit gefunden.

Mein Herr sieht es als das größte Maß der Dummheit bei den Grönländern an, daß sie glauben, daß, wenn der Mond vom Himmel untergeht, er sich auf der Erde befindet und

Seehunde für seine Speise jagt. Kann man aber ihre Meinung geringer achten als die der Römer und Griechen, die die Mondfinsternis der Hexerei zuschreiben? Oder die der gebildeten Chinesen, die noch dafürhalten, daß er von einem Drachen verschlungen werde?

Ludovicus Vivus verweist auf eine Geschichte über den Mond, die noch merkwürdiger ist: Gewisse einfältige Leute sahen einmal den Mond, der schien und sich in einem Brunnen sehen ließ. Als ein Esel aus dem Brunnen trank, wurde der Mond im selben Moment von einer Wolke am Himmel verdeckt, weshalb sie meinten, der Esel habe ihn verschlungen; der Esel wurde daraufhin als Missetäter ergriffen und aufgeschnitten; nachdem diese Exekution ausgeführt worden war, ließ sich der Mond abermals erblicken, woraufhin sie in der Ansicht gestärkt wurden, daß er sich im Bauche des Esels befunden habe.

Ganz abgesehen von der Grobheit und Einfalt, die man bei den Grönländern findet, bemerkt man dennoch mehrere Tugenden wie Geselligkeit und liebevollen Umgang, elterliche Liebe zu Kindern und die der Kinder zu ihren Eltern, Großzügigkeit usw., und obwohl unsere Missionare anfangs gemeint haben, daß die Leute keine Vorstellung von Religion und einem Leben nach dem Tode hätten, hat man doch seitdem gemerkt, daß sie sich darin geirrt haben.

Die Grönländer sind auch nicht ohne natürlichen Verstand; sie wissen vieles mit ihren Händen zu verarbeiten, und man hat oft an ihren Fragen und ihren Gegenreden erkannt, daß viele von ihnen sinnreiche Einfälle haben. Dazu möchte ich einige wenige Beispiele anführen.

Einer der ersten Grönländer, der zu Zeiten Friedrichs IV. nach Kopenhagen gebracht wurde, machte einige artige Bemerkungen, da man ihm verschiedene Dinge zeigte, die er zuvor nie gesehen hatte. Als er in die Reithalle geführt worden war und dort sah, wie der Rittmeister ein Pferd so lange antrieb, bis es in vollem Schaum stand, sagte er: »Der Narr will das Tier zum Fliegen bringen, obwohl er sieht, daß es keine Flügel hat.«

Ein anderer sah, wie jemand singend eine Ladung Mist fuhr; er fragte, was es bedeute, Mist zu fahren, um den sich niemand kehrt, und als man ihm sagte, daß man den Mist auf den Acker werfe, um den Boden fruchtbar zu machen, antwortete er: »Jetzt begreife ich, warum er singt; er freut sich darüber, daß die Erde mit dieser Arbeit Frucht tragen wird.«

Da einer von ihnen sah, wie ein junger Herr in einer Sänfte getrugen wurde, schüttelte er den Kopf und sagte: »Dieser junge Mann muß gänzlich faul oder krank sein, wenn er sich auf einer Bahre schleppen läßt.«

Man merkt ansonsten, daß die Grönländer insbesondere Mitleid mit unseren fahrenden Gesellen haben, indem sie sie nämlich als dieselben Geschöpfe ansehen wie jene, die in Pracht, Herrlichkeit und Überfluß leben. Dieses und anderes führe ich an als Beweis für den natürlichen Verstand und das gute Gemüt der wilden Grönländer.

Die Fragen, die sie bei der einen oder anderen Gelegenheit an unsere Missionare gerichtet haben, und die Zweifel, die sie angeführt haben, zeigen ebenfalls, daß sie Rechenschaft darüber haben wollen, was sie glauben sollen.

Als einigen von ihnen die Erbsünde erklärt wurde, sagten sie: »Warum ließ GOTT nicht Adam und Eva sofort umkommen und schuf andere Menschen an ihrer Statt, die schuldlose Kinder und Nachfahren hätten hervorbringen können?«

Des weiteren, als ihnen gesagt wurde, daß der Teufel die Menschen dazu verführe, Gottes Gebot zu übertreten: »Warum tötet Gott ihn dann nicht oder sperrt ihn ein, um so die Menschen von Versuchungen zu befreien, die sie in ewiges Unglück stürzen?«

Des weiteren, wenn man ihnen sagt, daß diejenigen, die Gott nicht kennen und nicht an ihn glauben, verdammt würden, so antworten sie: »Warum hat Gott so lange damit gezögert, uns den Glauben zu verkünden?«

Als einer von ihnen bestraft wurde, weil er Nebenweiber hatte, antwortete er, daß er seiner Neigung folge, die darin bestehe, untreu zu sein, und fragte, warum Gott ihn nicht mit demselben Temperament geschaffen habe wie jene vielen, die sich mit nur einer Frau begnügten. Derselbe entschuldigte auf gleiche Weise seinen Unwillen mit den Worten, daß die Erfahrung zeige, daß der eine Mensch unwilliger geschaffen sei als der andere und daß, was jemandem angeboren sei, nicht dem Menschen, sondern dem Schöpfer zuzuschreiben sei.

Die Grönländer meinen, daß Moralität am besten bei ihnen zu erlernen sei, und, darüber hinaus, wenn sie einen frommen Menschen einer anderen Nation sehen, dann sagen sie, er sei so fromm und sittlich wie ein Karolek, das heißt ein Grönländer.

Die unordentliche Lebensführung vieler Christen hat sie vielleicht dazu gebracht, so von sich selbst zu denken, woran man sehen kann, daß es erforderlich ist, daß die Kolonien, die zu derartigen Orten entsandt werden, aus gesitteten und zur Moral erzogenen Leuten bestehen, die nicht durch unordentliche Lebensführung die Heiden verärgern.

Deshalb sagte auch einer von ihnen: »Ich will eure Lehre nicht annehmen, denn ich kann darüber ebenso bösartig werden, wie ihr anderen es seid.«

Ein anderer hörte, daß Eva, obwohl sie so viele verschiedene Fruchtbäume hatte, von denen sie essen konnte, dennoch zu dem Baum griff, dessen Früchte verboten waren. Daraufhin sagte er: »Das sieht eurer Nation ähnlich, eure Begehrlichkeit hat kein Ende und kann sich nicht anders als mit vielen Gerichten begnügen.«

Als man ihnen die Leiden Christi und den Gehorsam des Sohnes, dem Willen des Vaters nachzukommen, erklärte, sagten einige, daß der Sohn sehr fromm sein müsse, wenn er für andere leiden wolle, der Vater dahingegen streng, wenn er Versehungen nicht verzeihen wolle, ohne seinen unschuldigen und einzigen Sohn zu opfern.

Sie sagen oft zu den Missionaren: »Wenn nun Gott Euch hierher geschickt hat, um uns zu unterweisen und zu bekehren, warum bewirkt Ihr dann keine Mirakel, wie die Sendboten, die zu anderen Ungläubigen geschickt worden sind? Warum macht Ihr die Blinden nicht sehend, die Tauben nicht hörend und die Kranken nicht gesund? Warum versorgt Ihr das Land nicht mit Seehunden und Walfischen und beschafft uns günstiges Wetter, so daß wir keine Not zu leiden brauchen?« Ferner, »warum kommt Gottes Sohn nicht auch nach Grönland und heilt die Kranken, so daß wir ihm auch glauben können?«

»Ihr behauptet«, sagte einer, »daß Gott fromm sei, aber woher kommt dann das Böse in der Welt?« Ein anderer: »Warum hielt er Eva nicht zurück, als er sah, daß sie den verbotenen Apfel essen wollte?« Einer, der vom Missionar zum Glauben ermuntert wurde, sagte: »Ich glaube Deinen Worten, denn Du kommst mir vor wie ein gesitteter und wahrhaftiger Mann; aber ich kann nicht so leicht glauben, was der geschrieben hat und was in diesem Buche steht: denn ich kenne den Verfasser nicht.« Einer fragte, ob er nicht selig werden könne, ohne die christliche Lehre anzunehmen, wenn er sich darum bemühe, ein unschuldiges und tugendhaftes Leben zu führen.

Da es nunmehr in unseren grönländischen Kolonien zwei Arten von Missionaren gibt, nämlich solche, die Dänen und Norweger sind, und andere, die Herrnhuter sind, und die Grönländer hören, daß diese sich in der Lehre nicht einig sind, nähren einige von ihnen Mißtrauen gegenüber dem gesamten Glauben und sagen: »Wie kann es die Wahrheit sein, wenn ihr euch selbst darum streitet?« In diesen und ähnlichen Fragen müssen die Missionare versuchen, ihnen Aufklärung zu geben.

Woran man ersehen kann, daß es für die grönländischen Missionen kundiger Männer bedarf, weil sie dieselben Probleme lösen sollen wie die malebarischen Missionare. Aber die Grönländer lassen größere Lernbereitschaft erkennen als die Malebaren und geben sich zufrieden, wenn sie gesunde und wohlbegründete Erklärungen hören.

Ich habe im Vorhergehenden einige wenige Bespiele ihrer moralischen Betrachtungen und Gedanken angeführt. Nachfolgendes kann hinzugefügt werden: Als einer von ihnen in Kopenhagen die Schildwachen vor den Portalen der großen

Herren sah, sagte er: »Diese Leute können kein gutes Gewissen haben, weil sie so furchtsam und ängstlich sind.« Als einer eine vornehme Jungfau sich brüsten sah, sagte er: »Sie muß sich wohl einbilden, nicht von Erde geschaffen zu sein.« Als ein anderer von den großen Niederlagen, die die Christen in Amerika erlitten haben, hörte, sagte er: »Es ist ein Glück, daß wir in einem armen Land wohnen; denn sonst wäre es uns nicht besser gegangen.«

Diese Hinweise mögen reichen als Beweis dafür, was ich über die natürlichen Eigenschaften der Grönländer gesagt habe. Ich verbleibe usw.

X. Kigutikkaaq (1863)

»Kigutikkaaq. Eine aufgezeichnete Volkssage« wurde zuerst auf Grönländisch sowie in dänischer Übersetzung im vierten Band der 1857–1863 in Grönland gedruckten Sammlung *Grönländische Volkssagen* gedruckt (Bd. 4, S. 2–23). In Rinks eigener Sammlung *Grönländische Märchen und Sagen* (Rink 1866–1871) erscheint Kigutikkaaqs Geschichte unter Nummer 94. Die folgende Übersetzung folgt Kirsten Thisteds Neuübersetzung des grönländischen Originaltexts (Thisted 1999, Bd. I, S. 272–276).

Damals, zu alten Zeiten, als Handelsschiffe in die Gegend von Ameralik zu kommen pflegten, trieben die Inuit und die Walfänger Handel miteinander. Als sie einmal zu den Inuit kamen, um mit ihnen zu handeln, begaben sich Kigutikkaaq und sein älterer Bruder zu den Walfängern. Die Handelsleute sagten: »Geht nicht zu den anderen Händlern dort, die sind bösartig!«

Eines Tages kaufte Kigutikkaaq etwas Schönes von den Walfängern, etwas, was er früher nie gesehen hatte. Sein Bruder beneidete ihn. Und als er nun so neidisch geworden war, nahm er sogleich einige seiner Waren und ging zu den Walfängern. Kigutikkaaq sammelte auch etwas zusammen und folgte ihm. Gerade als er das Haus verließ, fuhr der andere in seinem Boot ab. Geschwind eilte er ihm nach in dem Glauben, daß er auf dem Wege zu dem Ort wäre, wo sie zu handeln pflegten. Aber statt dessen war er auf dem Weg zu den Bösartigen. Als Kigutikkaaq dorthin ruderte, zögerte er zunächst. Dennoch folgte er ihm nach und holte ihn beinahe ein, bevor sie sich daranmachten, aus dem Kajak zu steigen.

Als das Kajak sich dem Schiff der Walfänger näherte, setzten diese ein Boot voll von ihren Leuten aus. Als das Kajak zu ihnen kam, ergriffen sie es und hievten ihn auf ihr Schiff. Kigutikkaaq wollte eigentlich anhalten, aber dennoch näherte er sich ihnen, und so ergriffen sie auch ihn und hievten ihn an Bord. Und sowie sie beide an Bord hatten, lichteten sie den Anker und segelten los.

Sie segelten und segelten, und als Kap Farvel am Horizont zu verschwinden begann, kam ein Sturm über sie, und die Wellen wuchsen höher und höher. Als einmal eine Riesenwelle kam, flüchtete die gesamte Mannschaft ins Schiff hinein, aber Kigutikkaaq kam nicht hinein, denn er wollte nicht flüchten. Jetzt drohte die Welle über das Schiff hereinzubrechen, und eben als sie brach, griff Kigutikkaaq nach der Reling. Welch ein Geknirsche, als die Welle auf dem Schiff zerbrach und die ganze Reling zerschlug. Nur genau an der Stelle, wo Kigutikkaaq sich festhielt, geschah nichts. Als der Seegang vorüber war, kam die Mannschaft hervor und konnte nun sehen, in wie großer Gefahr Kigutikkaaq gewesen war!

Später, als der Sturm sich gelegt hatte und kein Land mehr in Sicht war, segelten sie weiter. Abermals gerieten sie in einen fürchterlichen Sturm, und abermals waren die Wellen sehr hoch. Und als wiederum eine Sturmwelle drohte, über das Schiff hereinzubrechen, und die Seeleute flüchten wollten, sagten sie zu ihm: »Du auch!«

Und wie zu erwarten, begab er sich unverzüglich ins Schiffsinnere! Da schlug die Welle auf das Schiff nieder, aber diesmal richtete sie keinen Schaden an. Wiederum segelten sie dann weiter, aber als sie sich ihrem Land näherten, hielten sie ein, obwohl der Wind günstig war, denn sie befürchteten, daß die Leute von denen erführen, die sie bei sich hatten. Erst als es dunkel geworden war, segelten sie ans Land, und es war fast Mitternacht, als sie anlegten. Als sie die Anker fallen ließen, hörte man einen vom Land rufen: »Handelsschiff im Hafen, Handelsschiff im Hafen!«

Als jener so rief, kam schnell Licht in die vielen Häuser. Sie wurden zwar umgehend gebeten, an Land zu kommen, aber das wollten sie nicht bei Nacht, der Kapitän wollte erst bei Tage an Land gehen. Als er geschlafen hatte, wollte er an Land gehen, und er nahm die beiden Inuit mit.

Aber die Einwohner hatten ja schon davon gehört, daß er zwei Inuit bei sich hatte, und die Kablunakken schwärmten wie die Mücken herbei! Als sie an Land ruderten, sagte der Kapitän zu Kigutikkaaq und seinem Bruder: »Wenn ich an Land gehe, dürft ihr mich nicht aus den Augen verlieren, wenn ich unter die Leute gehe, müßt ihr immer nach meinem Rücken sehen und mir folgen. Keinen Augenblick dürft ihr wegschauen, sonst geht ihr verloren!« Sie antworteten ihm: »Ja, ja, wir werden dafür sorgen, dir immer auf den Fersen zu folgen.«

Als sie an Land kamen, konnten sie keinen Platz zum Aussteigen finden. Einer, der laut rief, war ein mächtiger Soldat, der ihnen den Weg bahnte. Als er zu ihnen gelangte, drohte er den Leuten, so daß sie zur Seite wichen, und als er durch die Menge schritt, folgten sie ihm nach. Sie gingen und gingen, und als sie zum Eingang eines großen Hauses gekommen waren, wandten sie sich um und blickten zurück. Aber als er sich nach ihnen umblickte, war nur der eine Bruder mitgekommen, der andere war weggekommen, weil er sich umgewandt hatte. Später stellte sich heraus, daß er auf einen großen Herrn gestoßen und mit ihm gegangen war.

Als Kigutikkaaq und der Kapitän eintraten, war die Frau des Kapitäns sehr böse, weil sie eifersüchtig war! Ihr Mann griff in seine Tasche, zog eine Puppe hervor und stellte sie auf den Tisch. Darüber beruhigte sie sich.

Während Kigutikkaaq nun hier war, mußte er einmal austreten und seine Notdurft verrichten. Als er hinauszugehen versuchte, sah er zwei Kablunakken, die ihm von beiden Seiten mit ihren Schwertern drohten. Verschreckt kehrte er ins Haus zurück, und sein Hausherr fragte ihn: »Was ist los?« Und er sagte: »Ich habe Angst vor den zwei großen Kablunakken, die draußen vor der Tür stehen und bereit sind, ihre grimmigen Schwerter in mich zu stechen!«

Der Hausherr nahm ein dickes Tau mit einem großen Knoten am Ende und gab es ihm mit den Worten: »Sobald Du die Tür aufmachst, schlag los auf sie mit diesem Tau, ohne Dich nach ihnen umzusehen!« Als er das Tau erhalten hatte und hinausgegangen war, schlug er um sich nach beiden Seiten, ohne sich umzusehen. Und er konnte sie nicht mehr sehen!

Als er seine Notdurft verrichtet hatte und wieder ins Haus zurückkehrte, sah er sie hinter dem Haus auftauchen, ihr Gesicht mit einem Handtuch verhüllt. Es erwies sich, daß er sie derart ausgepeitscht hatte, daß ihnen die Augen geborsten waren. Als er wieder hereinkam, fragte ihn sein Hausherr: »Wo sind die, die Dich bedrohten?« Kigutikkaaq sagte: »Das waren wohl die, die ich hinter dem Haus hervorblicken sah, mit einem Handtuch vor dem Gesicht.« Der Herr sagte: »Gut, daß Du sie fertiggemacht hast!«

Während Kigutikkaaq sich hier aufhielt, fing er an, auf Schneehuhnjagd zu gehen. Als er einmal auf Schneehuhnjagd war, kam ein großer Kablunak herbei und wollte ihn umbringen, er kam ihm aber zuvor und tötete ihn. Als er ihn ermordet hatte, beeilte er sich, ihn zu begraben, und ebnete die Erde ein, so daß man das Grab nicht sehen konnte. Als er nach Hause kam, tat er so, als wäre nichts gewesen, und sagte auch seinem Hausherrn nichts davon. Auch am nächsten Tag ging er auf Schneehuhnjagd, und abermals kam ein großer Kablunak zu ihm, um ihn umzubringen. Abermals schlug er ihn tot und begrub ihn in der Erde. Als er nach Hause kam, sagte er nichts. Als er wiederum einmal auf Jagd gegangen war, kam abermals ein großer Kablunak herbei, und als er im Begriff stand, ihn zu töten, erkannte er plötzlich seine Stimme wieder – sie war ganz wie die Stimme seines älteren Bruders!

Als sie einander wiedererkannt hatten, fingen sie an zu weinen. Als sie aufgehört hatten zu weinen, fragte er den älteren Bruder: »Wo wohnst Du?« Der Bruder antwortete: »Ich wohne bei einem großen Herrn. Damals, als wir einander folgen sollten, verlor ich euch aus dem Blick und folgte darum einem anderen, und es stellte sich heraus, daß ich ebenfalls auf einen großen Herrn gestoßen war, und ich ging mit ihm. Ich wohne bei ihm und leide keine Not.«

Da sagte der jüngere Bruder zu ihm: »Ja, aber damals, als wir an Land gingen, hat er uns da nicht ermahnt: ›Wenn ich unter die Leute gehe, dann müßt ihr immerzu meinen Fersen folgen und mich nicht aus den Augen verlieren. Denn wenn ihr euch umschaut, geht ihr verloren.‹ Und siehe: Du hast dich umgeschaut und bist verlorengegangen!«

Jetzt begann Kigutikkaaq zu erzählen: »Vor einiger Zeit ging ich mehrmals spazieren, und als dann große Kablunakken herbeikamen und mich umbringen wollten, kam ich ihnen zuvor und tötete sie.« Der Ältere sagte: »Ich habe auch vor einiger Zeit genau dasselbe getan.« Kigutikkaaq sagte: »Als ich nach Hause kam, habe ich nicht davon gesprochen.« »Auch ich nicht«, antwortete der Ältere.

Als sie nun einander getroffen hatten, sagten sie zueinander: »Wir wollen uns übermorgen wieder treffen.« Als sie sich einig geworden waren, trennten sie sich und gingen nach Hause. In zwei Tagen wollten sie sich wieder treffen.

Als sie sich trafen, begannen sie zu reden. Kigutikkaaq sagte: »Ach, wie viel Geld ich habe!« Der Ältere antwortete: »Ich auch!« Kigutikkaaq rief: »Wie wäre es, wenn wir unser Geld zusammentun und zählen würden, und, wenn genug davon wäre, uns vielleicht ein Schiff anschaffen könnten!« Der Ältere antwortete: »Laß uns sehen!« Und mit diesen Worten trennten sie sich.

Kigutikkaaq ging nach Hause. Als er nach Hause kam, sagte er zu seinem Herrn: »Wie viel würde wohl fehlen, wenn man mein Geld und das meines Bruders zusammenzählt, um uns ein Schiff zu kaufen? Versuche das bitte auszurechnen!« Als er es ausgerechnet hatte, sagte er: »Das ist genug.«

Kigutikkaaq bekam große Lust, sich ein Schiff anzuschaffen. Das Geld reichte aus, um Material und Handwerker zu beschaffen. Zum Frühjahr, als sie fertig waren, fragte er ihn auch nach gutem Rat für die Masten. Da gab ihm der Herr den Rat: »Ja, hör her, dort im Süden gibt es viele aufrechte Bäume, von dort pflegen wir uns Masten zu besorgen.«

Als er abreisen wollte, sagte sein Herr: »Wenn Du dort hinkommst und anfängst, einen Baum zu fällen, mußt Du Dich gut umsehen; Du mußt auf die Bäume aufpassen; wenn sie anfangen, sich zu bewegen, mußt Du schnell die Flucht ergreifen; wenn Du meinst, es sei zu weit, hierher zu flüchten, dann liegt dort in nördlicher Richtung eine steile Klippe. Dort mußt Du hingehen, dort gibt es Menschen!« Er versprach es und begab sich auf den Weg.

Er ging und ging, bis er zu den Bäumen kam; er untersuchte sie, und als er den besten Stamm gefunden hatte, begann er zu sägen und sah sich stetig um. Als er einen Baum gefällt hatte, wollte er noch einen fällen. Als er aber damit begann, fing einer der Bäume plötzlich an, sich zu bewegen. Er tat nichts und lief nicht fort, obwohl sein Herr ihm gesagt hatte, er sollte die Flucht ergreifen.

Er konnte sehen, daß sie sich bewegten – der Baum bewegte sich und kam auf ihn zu. Noch konnte er ihn nur hören, und er begann abermals zu sägen, und zwar obwohl er hören konnte, daß er näher und näher kam. Erst als er ganz nah in Sichtweite gekommen war, schmiß er seine gute Axt und seine gute Säge von sich auf die Erde und lief, so schnell er konnte. Bevor er aus dem Wald kam, sah er sich um und erblickte ein grimmiges Tier, das ihn verfolgte. Er lief nach allen Kräften, und als er ein Stück gelaufen war, wandte er sich um und sah, daß das Tier ihn einzuholen drohte. Da er meinte, daß es es zu weit war, um zu seinem Herrn zu flüchten, fing er an, zu den steilen Felsen zu laufen. Und als er sie beinahe erreicht hatte, schaute er sich um und sah, daß es ihn fast schon eingeholt hatte. Als er den Felsen erreichte, öffnete er sich von selbst und schloß sich wieder, sobald er hineingekommen war. Und als er geschlossen war, konnte man hören, wie das Tier herankam, und als sein Körper auf den Felsen schlug, krachte die große Tür ganz fürchterlich.

In dem Felsen, in den er nun hereingekommen war, waren viele, viele Frauen. Es waren nur Frauen dort und keine Männer. Dort war er nun hineingekommen, und er hatte überhaupt keine Lust, von da wieder nach Hause zu kommen.

Als er nicht wieder nach Hause kam, gab sein Hausherr ihn auf und rechnete damit, daß er von dem wilden Tier gefressen worden war. Aber als er dann einmal wieder nach Hause wollte, füllte er alle seine Taschen mit den Edelsteinen, die er als Bezahlung von denen erhalten hatte, mit denen er gelegen hatte. Auf dem Heimweg holte er seine guten Werkzeuge, und als er dorthin gekommen war, machte er sich daran, abermals an dem Baum zu sägen, den er zu fällen begonnen hatte.

Als er den Baum gefällt hatte, ging er nach Hause, und nun hatte also der Hausherr ihn aufgegeben, weil er damit rechnete, daß er aufgefressen worden war. Der Herr war im Hause; als er die Tür hörte, blickte er dorthin und sah, daß es Kigutikkaaq war, der hereintrat!

Er sagte: »Das ist ja der, von dem man glaubte, daß er gefressen worden ist! Ich hatte Dich schon aufgegeben, weil ich damit rechnete, daß Du aufgefressen worden bist. Wo bist Du gewesen?« Kigutikkaaq antwortete ihm: »Ich bin bei den unverheirateten Frauen gewesen, die waren so gut zu mir!« Sein Herr sagte: »So sind sie nun einmal, und so sind sie immer. Wenn man dort hineinkommt, sind sie so gut zu einem, daß man ganz verrückt davon wird!«

Die Arbeitsleute holten nun die Masten, und als sie sie gebracht hatten und man sie zugepaßt hatte, wurde das Schiff ins Wasser gesetzt und mit all dem Hab und Gut beladen, das diesen zwei Menschen gehörte. Als sie lossegeln wollten, wollten sie ganz allein sein, nur den Koch hatten sie als dritten Mann dabei. Aber als das Schiff nun ganz fertig war, erkrankte der ältere Bruder. Es ging ihm immer schlechter, und zum Schluß starb er. Als er tot war, setzte Kigutikkaaq sein großes, neues Schiff in Flammen und ließ alles, was er hatte und ihm eigen war, im Meer versinken.

Nun ging der Hausherr also mit ihm los, sie gingen und gingen. Dann sahen sie einen See, an dessen Ufer ein kleines Boot vertäut lag. Sie stiegen an Bord und setzten zum anderen Ufer über. Dort war wiederum ein kleines Boot. Diese Boote waren ihnen wie ein Weg über die Seen. Sie vertäuten das Boot dort und hinterließen es. Dann gingen sie weiter und bekamen abermals einen großen See in Sicht. Sie gingen dorthin, und als sie angelangt waren, lag auch dort ein kleines Boot vertäut. Sie gingen an Bord und setzten abermals über, und dort lag ebenfalls ein kleines Boot – diese Boote dienten ihnen als Weg über die Seen. Sie vertäuten das Boot und setzten ihren Weg fort.

Abermals gingen sie weiter und erblickten schließlich eine Menge Häuser mitten im Land. Sie gingen zu diesen Häusern hin und gingen hinein. Als sie hineingekommen waren, verging eine Weile, dann fingen sie an zu essen. Aber als sie eben angefangen hatten zu essen, wurde von jemandem gerufen: »Handelsschiff fährt ab, Handelsschiff fährt ab!«

Im selben Augenblick, als dies gerufen wurde, stand Kigutikkaaq auf und lief hinaus, er ließ das Essen stehen, und sein Herr folgte ihm nach. Sowie er herausgekommen war, begann er zu laufen, er lief, so schnell er konnte, um die Handelsschiffe zu erreichen. Als er zu dem kleinen Boot kam, sprang er an Bord, löste die Vertäuung und ruderte los. Er ruderte und ruderte. Dann legte er auf der anderen Seite an und lief los, mit dem anderen auf seinen Fersen. Er lief, und als er abermals zu einem kleinen Boot kam, sprang er an Bord und fing an zu rudern. Abermals landete er am anderen Ufer und lief sofort weiter. Jetzt tauchte das Schiff auf, aber er konnte es in der Ferne nur ganz undeutlich erkennen. Dennoch lief er weiter und gelangte an, als sie eben dabei waren, die Taue zu lösen und abzusegeln. Er sprang zu ihnen an Bord. Der Herr kam zu spät. Als er sie nun nicht erreichte, da sie schon abgesegelt waren, rief der zu spät Gekommene den Seeleuten und dem Kapitän auf dem Schiff zu, daß sie, wenn sie in das Land der Inuit kämen, gut auf Kigutikkaaq aufpassen sollten. Und draußen vom Schiff konnte man sie alle zusammen sagen hören: »Ja, ja!«

Dann segelten sie los. Sie segelten und segelten, und als sie sich Kap Farvel näherten, wollte Kigutikkaaq sich nicht mehr ausziehen, weil er seine Taschen dazu brauchte, Eisen darin zu verstecken.

Man stelle sich vor: Als sie damals aus dem Land weggereist waren, pflegten die Stammesgenossen Kigutikkaaqs Angehörige mit Lügen zum Narren zu halten, indem sie, nur um sie zu ärgern, riefen: »Kigutikkaaq und sein Bruder kommen wieder!« Jedesmal, wenn sie dies riefen, eilten sie aus dem Haus heraus, und auf diese Weise wurden die Angehörigen, die ja nichts wußten, noch unsicherer und verwirrter. Und dann trauerten sie noch mehr, und ihre Betrübnis wurde dadurch noch schlimmer und weniger beneidenswert.

Das Schiff segelte und segelte, und als sie zum Land der Inuit kamen und Kigutikkaaq das Land wiedererkannte, wo er gewohnt hatte, sagte er zu den Seeleuten: »Laßt uns an Land gehen und Schneehühner schießen.« Sie sagten ja und gingen an Land. Jetzt gingen sie auf Schneehuhnjagd dort oben in den Bergen. Zu Anfang auf der Schneehuhnjagd wollten sie gar nicht von seiner Seite weichen, weil sie dachten, daß er ihnen sonst verloren oder zu seinem Haus gehen würde.

Kigutikkaaq sagte zu ihnen: »Ich werde nicht verschwinden, seht ihr nur nach den Schneehühnern!« Schließlich gingen sie ihres Weges. Als sie ihn einmal verlassen hatten, klemmte er sich in eine kleine Felsspalte hinein. Nach einer Weile hörte er die Stimmen derer, die nach ihm suchten und riefen und sagten: »Unser Kapitän hat uns gesagt, daß wir nicht von ihm weichen sollten, und nun haben wir ihn dennoch alleingelassen, das wird schlimm für uns werden.« Erst als er sie endlich umkehren hörte, stand er auf und ging dorthin, wo er glaubte, daß keine Menschen wären. Er ging und ging und stieg einen steilen Felsenabhang hinunter. Ungefähr auf halbem Wege geriet er in die Klemme, so daß er weder rauf noch runter konnte. Nun wollte er sich runtergleiten lassen. Da legte er alles, was er in seiner Tasche hatte, auf einen Absatz und fing an, hinunterzugleiten, und er landete wohlerhalten. Er stand wieder auf und ging weiter. Er ging, bis er zahllose Zelte erblickte.

Als er sich ihnen näherte, kam einer heraus und erblickte ihn. Er rief mit vollen Kräften: »Kigutikkaaq ist auf dem Weg nach Hause!« Da stürzten sie alle aus ihren Zelten, und jetzt sahen sie also, daß er alleine kam. Als die Leute zu ihm kamen, sagte er in der Sprache der Kablunakken: »Wo sind meine Angehörigen?« Aber sie verstanden kein Wort. Er redete und redete, und als sie ihn immer noch nicht verstehen konnten, sagte er schließlich in der Sprache der Inuit: »Wo sind meine Angehörigen?« Als sie es ihm zeigten, ging er dorthin, um zu seiner Familie hineinzugehen.

Und da sah er einen alten Junggesellen aus dem Zelt seiner Familie kommen. Als er hineinkam, fragten sie: »Wo ist dein älterer Bruder?« – »Er ist im Land der Kablunakken gestorben.« – Als sie geweint hatten und stillschwiegen, begannen die Frauen, gut von einem zu sprechen: »Der liebe alte Junggeselle hat so gut für uns gesorgt!« Das war der, der hinausgegangen war, als Kigutikkaaq hereinkam, weil er glaubte, daß er vielleicht eifersüchtig wäre. Kigutikkaaq rief hinaus zu ihm: »Lieber alter Junggeselle, komm herein!« Aber er kam nicht, weil er sich fürchtete, da er glaubte, daß er ihn verprügeln werde. Erst als er ihn ein zweites Mal rief, kam er. Als er hereinkam, griff Kigutikkaaq in seine Taschen und nahm ein Messer und einige Nägel heraus mit den Worten: »Nimm, was du haben willst!« Er schaute sie sich gründlich an und fuhr fort, sie anzuschauen, und nahm schließlich einen kleinen Nagel. Kigutikkaaq wollte nicht, daß er den kleinen Nagel haben sollte, und wollte ihm das Messer geben, das einen sehr schönen Schaft hatte; aber der alte Junggeselle wollte es nicht haben. Er sagte, das Messer könne nur ein Messer sein, der Nagel aber ein Messer oder etwas anderes sein; darum wollte er den Nagel haben.

Hier ist der Schluß.

XI. Arnarsaaq (1842)

Die folgende Übersetzung folgt Bernhard Severin INGEMANN, *Kunnuk und Naja oder die Grönländer, eine Erzählung*, Kopenhagen 1842, S. 95–100.

Im Zelt saß nun die stille und bleiche Arnarsaaq beruhigt auf ihrer Lagerstätte, um sich mit freudestrahlenden Augen anzuhören, was der Kapitän ihr aus seinen Briefen mitzuteilen hatte.

»In erster Linie sind hier die Grüße für unsere liebe Arnarsaaq« – sagte der Alte und blätterte in dem großen Stapel von Briefen und Papieren, die er vom Schiff mitgenommen hatte – »in jedem Brief aus dem ganzen Jahr und in vielen Aufzeichnungen aus älteren Zeiten, die mein lieber Bruder mir geschickt hat, erwähnt er dich und spricht freundlich von dir. Er freut sich über deinen Brief vom letzten Jahr, und, sieh her, hier ist ein langes Schreiben an dich.«

»Aja! Es wird Arnarsaaqs Augen und Seele erfreuen, wenn mir die Mitternachtsonne leuchtet«, sagte die Grönländerin und legte ihr Kinn an den Brief, als wenn es ein geliebtes Kind wäre, dem sie sich zuneigt. »Hast Du mehr Worte von Pavias Seele für meine Ohren?«

»Hier stehen mehr Worte über dich, als ich dir diesmal mitteilen kann«, antwortete der Kapitän (Niels Egede; M. H.) froh und blätterte in einer kleinen Handschrift, die Bruchstücke des Journals enthielt, das Paul Egede später drucken ließ. »Was er zur Unterrichtung unserer Landsleute über dein Land und dein Volk geschrieben hat, wirst du nach und nach alles zu hören bekommen. Jetzt sollst du hören, was ich schon über dich und den kleinen Tullimak gelesen habe.« »Nah-ah, armer kleiner Tullimak!« – seufzte Arnarsaaq – »er war fromm und liebenswert und viel besser als ich; doch darum nahm der liebe Gott ihn so früh zu sich. Was schreibt Pavia über den kleinen Tullimak?« Der Kapitän las nun die Aufzeichnungen seines Bruders darüber, wie der halberwachsene grönländische Knabe Tullimak und das kleine grönländische Mädchen Arnarsaaq, die er beide getauft hatte, am 4. August 1740 mit ihm Grönland verlassen hatten, was sie ihm über die Sagen ihres Volkes von Sonne und Mond erzählt hatten und welch tiefen Eindruck der Anblick des großen Meeres und der großen Weisheit Gottes in der Natur auf sie gemacht hatte. »Ach! Mir ist, als ob ich jetzt abermals neben Pavia auf dem großen Schiff stünde« – rief Arnarsaaq aus – »das wie ein Stück Treibholz mit uns auf den Wasserbergen herumschaukelte. Ich sehe noch immer, wie schön die Sonne die weißen Schiffsseiten rot färbte und Pavias Wangen in der Mitternachtssonne erleuchtete. Und seitdem ist die Sonne dennoch durch 35 Sommer wie diese um das Meer und die Berge wie in unseren hellen Nächten gerollt.« Egede las, was der Bruder über die scherzhaften und gescheiten Bemerkungen der kleinen Grönländer aufgezeichnet hatte und darüber, wie Arnarsaaq immer nur auf das Gesicht des Schiffers achtete, wenn das Meer unruhig war, um sich nicht eher zu fürchten, als der sich fürchtete.

»Der liebe Pavia!« – sagte Arnarsaaq und lächelte – »Sind die kleinen Worte aus dem Kindesmund noch immer nicht aus seiner Seele gefallen?«

»Er hat viele deiner Worte bewahrt, liebe Arnarsaaq!« – antwortete der Kapitän – »Und sie werden vielleicht noch immer Menschen erfreuen, wenn wir längst tot und begraben sind. Sieh her, hier beschreibt er eure Freude, als ihr Norwegen erblicktet, und gibt das fromme kindliche Gebet wieder, mit dem ihr vor den Augen der Gemeinde in der kleinen norwegischen Kirche Gott dafür danktet, daß er euch in das Land geführt habe, aus dem ihr Kenntnis von ihm erhalten habt.« Er las, was dort stand. Arnarsaaq faltete ihre Hände, und Tränen kamen ihr in die Augen, während ihre Lippen sich bewegten und sie leise dieselben Worte wiederholte, mit denen sie damals, als Kind, Gott mit so gerührtem Herz gedankt hatte.

»Lies weiter, lies weiter, lieber Guter!« – sagte sie froh und streichelte die Hand des alten Manns – »Bei jedem Wort, das der liebe Pavia von unseren Lippen genommen und in seiner Seele verborgen hat, werde ich wieder zu einem glückseligen Kind, und Tullimak erwacht wieder zum Leben, und Pavia steht vor uns, und ich sehe sein sommermildes Angesicht, wenn seine Ohren unserer Sprache lauschen, die kein anderer außer ihm und unserem Herrn im Himmel verstand.«

Der Kapitän las nun über ihre Freude darüber, daß sie in dem »Land der Bärtigen« in ihrer eigenen Sprache das Lied singen konnten: »Mein Hoffnung und Trost« – und wie sie sich am Anblick der großen Fichten- und Tannenwälder erfreuten, wo sie nun sehen konnten, daß sie tatsächlich auf der Erde wachsen und nicht im Meer, wie ihre Landsleute aus dem Treibholz geschlossen hatten, das bei ihnen an Land spült.

»Ach ja! Wir hatten den Verstand von Kindern mit unserem Volk« – sagte Arnarsaaq – »aber der weise Gott war gut mit uns, und er ließ unsere Augen alle Wunderwerke unter der Sonne und alle Herrlichkeit in der Welt der Fremden sehen.«

»Aber ihr sahet auch, was euch noch mehr gefreut hat« – fuhr der Kapitän fort – und las über ihre Ankunft in Dänemark und »ihre sprachlose Überraschung und Erzückung bei der Einfahrt in den Sund, beim Anblick des Landes und des majestätischen Schlosses Kronborg, der schönen grünen Buchenwälder, Felder und Äcker und – was alles übertraf – der unzähligen großen Schiffe, die unter Segel standen und zwischen einander hin- und herkreuzten.«

»Aja! Aja! Oh Dänemark, du Land der Schönheit!« – rief Arnarsaaq aus, und die Tränen liefen ihr die Wangen hinunter. »Aber auch hier ist eine Welt der Schönheit!« – fügte sie hinzu und wies über den Fjord hinüber, wo die Eisberge nun wie ungeheure Goldstücke in der Abendsonne glänzten.

Egede wollte nun die kleine Handschrift zusammenrollen; aber Arnarsaaq fragte nach Kopenhagen und dem guten

Tafel 5: Als Pastor Egede die Grönländer zu besuchen kam, griffen sie gegen ihn zu den Waffen, aber der Sprecher des Pastors sagt zu ihnen auf grönländisch: »Der große Angakok der Kablunakken ist dabei!« Und so hießen sie ihn mit Freuden willkommen.

Tafel 5–19: Aron aus Kangeq (1822–69) war als Erzähler, Zeichner und Maler wesentlich an der grönländischen Renaissance des 19. Jahrhunderts beteiligt. Die hier wiedergegebenen handkolorierten Zeichnungen lagen lang Zeit unbeachtet im Ethnographischen Museum in Oslo, gelten jedoch seit ihrer Veröffentlichung durch Eigil Knuth (Knuth 1960), Bodil Kaalung (Kaalund 1997) und insbesondere Kirsten Thisted (Thisted 1999) als ein Hauptwerk der grönländischen Kunst. Die hier wiedergegebenen Bilder sind nur ein kleiner Ausschnitt seiner Bilder, die fast alle als Illustrationen zu eigenen Erzählungen oder denen anderer Erzähler entstanden sind. Die Texte zu den einzelnen Bildern stammen von ihm selbst und sind hier nach der Neuübersetzung von Kirsten Thisted ins Dänische wiedergegeben.

Tafel 6: Egede weist einen Angekok zurecht, weil er über seinem kranken Kind die Geister beschworen hat.

Tafel 11: Unaasaq singt einen Zaubergesang über Hans Egedes Männer, die gekommen waren, um die Kangeq-Leute zu bekriegen. Oder: Sie kamen zwar sehr kriegerisch nach Salliut, bekamen aber Nasenbluten und zogen schlicht wieder nach Hause nachdem sie geschlafen hatten.

Tafel 12: Der erste Pfarrer der Grönländer, Hans Egede, schmierte die Augen des Blinden mit Salbe ein und ermahnte ihn ernst: »Nur Jesus Christus vermag, die Blinden wieder sehend werden zu lassen!« Und er sagte, daß er an ihn glauben solle. Später kehrte der Blinde wieder zum Pfarrer zurück und dankte ihm dafür, daß er seine Sehkraft wiedererhalten habe, weil er damals seinen Worten geglaubt habe.

Tafel 13: Jehu hat einen feinen Anorak aus Zeitungspapier bekommen, aber als es anfängt zu regnen geht er kaputt. Eine andere Version der Erzählung geht darauf hinaus, daß der Anorak aus Paul Egedes grönländisch-lateinischer Grammatik gemacht worden sei. Auf der einen Schulter scheint jedoch die Jahreszahl 1709 (oder 1708) angegeben zu sein.

Tafel 14: Als Pooq und seine Frau nach Dänemark gekommen waren wurden sie von den höchsten geistlichen Autoritäten über den Standpunkt der Grönländer im Verhältnis zum Christentum ausgefragt.

Tafel 15: Als der erste herrnhutische Missionar Mathias Stach in Kangek zu Besuch kam, war gerade eine alte Frau gestorben, und ihre Kinder nähten sie sogleich in Leichenfelle ein. Aber kaum hatten sie sie eingenäht, da begann sie lauthals zu klagen. Mathias Stach befahl ihnen augenblicklich, sie zu befreien.

Tafel 16: Qaajarnaq wird vom Glauben ergriffen und sagt: »Sag mir, wie auch ich selig werden kann?« Qaajarnaq war der erste von Herrnhutischen Missionaren getaufte Grönländer.

Tafel 17: Sie beschuldigten Qaajarnaqs (Samuels) Schwager der Hexerei und wollen ihn töten, aber er stürzt von einem hohen Felsen in die Tiefe, so daß er stirbt ohne verletzt worden zu sein.

Tafel 18: Da Samuels (Qaajarnaq's) Schwager erschlagen worden war, bestraft der Kaufmann die Mörder.

Tafel 19: Die ersten Missionare der Herrnhuten pflegen die kranken Grönländer

König und der Königin und, ob nicht auch etwas über sie in den Briefen stünde. Der Kapitän sah in den Briefen nach, wo auch Verschiedenes über Christian VII. und seine unglückliche Gemahlin stand, die vor drei Jahren Dänemark verlassen hatte; aber bald merkte er, daß Arnarsaaq an den König und die Königin von vor fünfunddreißig Jahren dachte, und er las, was er in dem Journal seines Bruders über Arnarsaaqs und ihres jungen Begleiters Vortritt am Hof Christians VI. finden konnte, wo das Betragen und die Rede dieser Kinder der Natur in so liebenswertem Kontrast zu den Vorschriften und dem Zeremoniell der vornehmen Welt gestanden hatten.

»Die vornehmen Mitmenschen waren lieb zu uns« – sagte Arnarsaaq – »ihre Gesichter mußten wohl lächeln, als wir wie Fremde daherkamen, ohne uns zu verbeugen oder zu verneigen, sondern wir ließen ihnen nur sagen, daß wir wünschten, sie im Himmel wiederzusehen. Unsere Augen lachten auch, wie sie einander mit dem Körper Ehre erwiesen; aber sie waren alle gut zu uns, und wir meinten es gut mit ihren Seelen.«

»Eine Stelle muß ich dir aber noch vorlesen, weil diese Erinnerungen dich so erfreuen« – sagte der Kapitän – und Arnarsaaq hörte mit der allergrößten Freude die Aufzeichnungen des lieben Pavia über ihre Krankheit und ihr Gebet zu Gott, sie leben und wieder in ihr Land kommen zu lassen, damit sie ihr Volk ihn und seinen Sohn kennen lehren könne, um selig zu werden. Arnarsaaqs naives Gebet zu Gott lautete wörtlich: »Du bist meiner ja sicher, und es eilt nicht. Mich kannst du ein andermal haben, wenn ich Geringer erst deinen Willen bei meinen eigenen Mitmenschen verrichtet habe.«

»Das Gebet flog nicht ungehört von meiner Kinderzunge am lieben Gott vorbei« – rief Arnarsaaq aus – und drückte sich die gefalteten Hände auf ihre Brust. – Aber jetzt wurde der Kapitän in seiner Lesung unterbrochen.

XII. Uisâkavsak, der große Lügner (1915)

Uisâkavsak, der um 1874 geboren worden war, wurde 1897 von Robert Peary mit in die Vereinigten Staaten gebracht und gelangte sechs Jahre später wieder in seine Heimat zurück. Zu seiner Biographie siehe GILBERG 1970 sowie GILBERG 1994, S. 250–265. Die Übersetzung folgt Knud RASMUSSEN, *Foran Dagens Øje. Liv i Grønland*, Kopenhagen 1915, S. 19–42.

Eines Abends gelangte ich mit einer Gruppe von Bärenjägern nach Tugtuligssuaq am Kap Seddon in der Melvillebucht; wir kamen an wie die Diebe bei Nacht, ganz ohne von den Leuten bemerkt zu werden, nachdem wir einige Wochen auf dem Eis umhergestreift waren. Die Überraschung war überwältigend.

»Nanuniarssuit!« – Bärenjäger! lautete der Ruf, den ein aufmerksamer Nachtwächter über das schlafende Lager ausstieß; und noch bevor das Echo von den Bergen verschlungen worden war, strömten die Leute, von der Sensation wachgerüttelt, wie die Maulwürfe aus ihren Schneehütten hervor.

Uisâkavsak, der Häuptling des Lagers, schlug sich auf die Schenkel, so daß er zusammenknickte, und rief: »Hei, jetzt werden wir wieder die ganze Nacht hindurch zusammen lachen!«

Unser Gepäck wurde in aller Eile auf die Schneeabsätze gestapelt, die aus riesigen, zu Blöcken geschnittenen Eismauern bestanden. Die Hunde wurden gebunden und mit viel Fleisch gesättigt, und bald saßen wir nach frohen Worten suchend in glücklichem und herzlichem Wiedererkennen in der Hütte, die innen mit Bären- und Rentierfellen ausgekleidet war. Wir kamen aus der Kälte draußen und begannen darum schnell in der betäubenden Lampenwärme zu glühen.

Man bot gefrorenes Narwalfleisch, das labend auf der Zunge schmolz, dicke Walhaut in großen, flachen Stücken, eine kräftige Kiefergymnastik und rechte Arbeit für einen gesunden Magen. Dann kam man mit hartgekochtem Bärenbauch, Renfleisch mit fettem Talg, und mitten in dieser wilden Eßorgie – ganz wie ein im übrigen völlig unnötiger Appetitschnaps – eiskaltes, leicht gegärtes Narwalhirn!

Wir aßen in Stille, denn dies war wahrhaftig eine Arbeit, die im Ernst ihren Mann erfordert; aber indem uns allmählich die Verdauungshitze zu Kopfe stieg, wurden wir essensfroh und voll saftiger Scherze.

Aber was sagt nicht auch der Prediger im zehnten Kapitel, neunzehnter Vers: »Die Mahlzeit macht lachen, der Wein erfreut die Lebenden, und das Geld entspricht allen Dingen!«

Kein Wunder also, daß wir, die hier oben weder Wein noch Geld kannten, den reichen Überschuß der ganzen Wiedersehensfreude auf die holdselige Mahlzeit konzentrierten. Es war, als wenn die Bärenmuskeln, an denen wir arbeiteten, in unserem Eingeweide Wurzeln schlagen und die große Raubtierlust in uns sprießen würde. Denn leben wir Jäger in diesem rauhen Land nicht in konstantem Kriegszustand mit allem Lebendigen? Sicherlich, wenn wir nicht unweigerlich die gefährlichsten Raubtiere des Polarlandes wären!

Uisâkavsak, unser Wirt und der Mörder des Bären, war der erste, der seiner Freude Luft verschaffte. Er erhob sich aus dem Fleischberg und erschütterte die Hütte mit einem Gelächter, das eine sprudelnde Kette von Erinnerungen auslöste. Und jetzt machte er sich daran, über seine Begegnung mit dem Bären zu berichten, den wir aßen.

Seine Flinte hatte er nicht benutzt, denn die war nur für Kinder und Greise; nein, ein Zweikampf mit Harpune war es gewesen, und als der Bär später die Harpune wie einen kleinen Zahnstocher zwischen seinen Zähnen zersplittert hatte, war Uisâkavsak mit dem Speckmesser auf ihn losgegangen.

Und der Bär hatte einen teuren Preis verlangt; zwei seiner besten Hunde hatte er mit in den Tod gerissen, ihnen den Bauch mit einem Biß aufgeschlitzt und ihnen mit einem Schlag seiner riesigen Tatze das Rückgrat gebrochen. Aber da hatte Uisâkavsak ihm auch schon sein Messer ins Herz gestoßen. Und das Blut flammte aus seinem Riesenkörper heraus in den weißen Schnee, wie eine rauchende Feuerblume, die ihre Blüte entfaltet …

Jaja, jetzt war der Feind zu einer Festmahlzeit für Freunde geworden! Der Erinnerung an den Holmgang und Sieg dort draußen auf dem öden Eis machte ihm die Augen blank, und seine Arme griffen in die Luft hinein, wie um an dem glücklichen Gefühl festzuhalten, ein Mann und Herr der Tiere zu sein.

Und die Mahlzeit bekam gleichsam einen primitiv-religiösen Hintergrund; es stellte sich im Lobgesang auf den Fall des Feindes eine Opferfeierstimmung ein, und das liebenswerte Selbstbewußtsein des ganzen Urmenschen klang aus dem offiziellen Gelächter über einen Kampf auf Leben und Tod und daraus, wie der Bärenjäger seine blutrünstige Lebensfreude demonstrierte.

Nach der Ekstase krochen wir nackt in die warmen Bärenfelle, die auf der Pritsche ausgebreitet waren, und flößten Ruhe in unsere müden Glieder. Die bittere Kälte der vielen Nächte im Schneetreiben zog sich durch die Erinnerung wie ein mißglückter Scherz, den man schnell vergißt, und bald nahm uns der schwere Ballast im Magen das Bewußtsein, um uns in einen tiefen, labenden Schlaf zu entlassen.

Wir versiechten wie ein zu schnell aufgelodertes Feuer, das ausgeht.

Ganz früh am nächsten Morgen wollte Uisâkavsak mir »das große Renland« zeigen. Ich sollte alles zusammen von oben sehen, von einem hohen Felsen aus, der am inneren Ende einer kleinen Bucht ein paar Meilen von der Siedlung entfernt lag; er würde mich gerne dorthin fahren, meine eigenen Hunde sollten sich ausruhen. Nein – es gab keine andere Wahl, ich mußte sein Land von dort oben, von dem Felsen an der Überquerung, die er »Bärenweg« nannte, betrachten. Es sei ja doch bloß ein Vergnügen, sich etwas auf Fahrt zu begeben, wir könnten ja sowieso nicht den geschlagenen Tag drinnen im Haus bleiben, um uns den Magen vollzuschlagen. Ja, ja, keine Erwiderungen. Hier im großen Renland mußte man sich wahrlich daran gewöhnen, umgänglich zu sein. Und hinaus aus dem Haus war er auf einen Sprung, um seine Hunde vorzuspannen.

Kurz danach gelangten wir über die Bucht, zu zweit auf dem Schlitten, gezogen von frischen Bärenhunden mit blankem Pelz, die bei jedem Laut, den ihr Herr durch die Zähne zischte, die Ohren spitzten.

Uisâkavsak war ein hervorragender Hundekutscher, und sein Gespann, das aus 14 gleich großen Hunden bestand, suchte seinesgleichen. Das wußte er und kokettierte deshalb etwas mit ihrer Dressur. Aber es war ein Vergnügen, in der frischen Wintersonne Zeuge der Kraftentfaltung der schönen Tiere zu sein. Die Geschwindigkeit war so behende, daß wir uns gut festhalten mußten, um nicht vom Schlitten geworfen zu werden, jedesmal wenn dieser durch die kleinen Unebenheiten eines Eisstaus geschleudert wurde. Ganz am Ende der Bucht machten wir an der Stelle halt, die er »Bärenweg« genannt hatte, weil dort ein beliebter Wechsel für die Bären im Herbst war. Wir ließen die Hunde auf dem Eis und bestiegen den Felsen.

Es war wirklich ein ergreifendes arktisches Panorama, das vor uns lag, als wir die Spitze erreichten. Um uns herum hatten wir das große Renland, das Hinterland zwischen Kap Walker und Read Head, die einzige größere Landoase in der Melvillebucht. Sie bestand aus hohen, gelbbraunen und roten Felsen, durchbrochen von Gletschern, Talschluchten und Buchten, die mit großen Eisbergen gefüllt waren.

Die Vegetation entsprach der in Nordgrönland üblichen Hochfjeldsflora mit Heide, Zwergweide und kleinen Blumen, Mohnblumen und dem widerstandsfähigen Steinbrech, mit einzelnen struppigen Graswiesen an den feuchteren, von Bächen bewässerten Stellen. Sie war ärmlich, diese Vegetation, und sie machte einen doppelt bescheidenen Eindruck auf dem gefrorenen, schneefreien Boden, über den die Stürme unablässig hinwegzufegen schienen, so daß die zarten Sprößlinge des Sommers nicht einmal von der warmen Bettdecke des Schnees im Winter geschützt wurden.

Es war unglaublich, daß Rentiere hier auf diesen steinigen und abschüssigen Randfjelds leben konnten; aber es stimmte dennoch, trotz des unfruchtbaren und nackten Eindrucks, der einem überall entgegenschlug. Und die Schönheit zeigte sich auch nicht in der Fruchtbarkeit, schon gar nicht zu dieser Jahreszeit.

Denn schön war es hier wie in einem Märchen, wohin auch immer man die Augen wandte. Das gesamte, karge Küstengelände mit den endlosen Schneewellen des Inlandeises dahinter und dem Meereseis mit den phantastischen Eisbergen davor lag wie gebadet in einer Fülle heller, reiner Farben, die der großen toten Landschaft eine so ferne und vornehme Höhe verliehen, daß ich selbst in diesem Augenblick, so lange danach, darauf keine Worte zu verwenden wage, sondern mich immer noch winzig und mitgerissen fühle.

Aber Uisâkavsak, dessen nüchterner Wildmannesblick nur die Zweckmäßigkeit in all dieser Herrlichkeit sah, zeigte über die Länder und das Eis und berichtete mir darüber, wie er sie entdeckt und warum er hier Land genommen hatte. Für ihn bestand in diesem Zusammenhang die Schönheit nur im Praktischen, das ihm den Kampf ums Überleben in der großen Wildnis erleichterte.

Erfolglose Jagden auf Bären südlich von Kap York waren einstmals schuld daran gewesen, daß er zusammen mit seinem Bruder Uluagtôq, »dem Dickkinnigen«, weiter nach Süden gefahren war, als man es sonst beim dortigen Stamme zu tun pflegte.

Von den Vorvätern war nämlich eine Tradition überliefert worden, daß ihre Nachbarn, die tief im Süden wohnten, ein gefährliches und blutrünstiges Volk sein sollten, denen man selten lebendigen Leibes entkommen könne. Deshalb gingen die meisten Jagdzüge des Stammes nach Norden. Aber auf jener unglückseligen Jagd mit seinem Bruder hatte Uisâkavsak sich also in der steten Hoffnung, einen Bären zu treffen, weit jenseits ihrer Jagdgrenzen bewegt und war ganz bis nach Kiatagssuaq oder Kap Holm geraten, ohne auf Spuren fremder Menschen zu stoßen. Auf dieser Reise war er bei dem großen

Gletscher vor Kap Seddon einer Bärenspur ins Innere gefolgt und hatte so das große Renland entdeckt. Uisâkavsak, der während seiner ganzen Jugend weit herumgereist war, hatte, nachdem er »auf der Spitze des Fjelds seiner Jugend angelangt war«, immer Lust gehabt, sich vor seinen Landsleuten auszuzeichnen, und hier hatte er endlich ein Gebiet gefunden, das ihm neue Möglichkeiten geben konnte.

Von derselben Felsenspitze, auf der wir nun standen, hatte er als der erfahrene Jäger, der er war, wie in einer Vision den Fang gesehen, den es hier geben mußte. Das Land schnitt sich zu einer langen Halbinsel aus, die in einer zweigeteilten kleinen Bucht endete. Hier fand er alte Hausruinen von den Wanderungen der Vorväter, dies war die Stelle für die neue Siedlung, sicher versteckt an der Mündung der Bucht.

Ein Blick in die Runde hatte ihn sogleich mit den Eisverhältnissen vertraut gemacht; das Meer mußte sich hier früh legen und spät aufgehen, und das war genau, was er für seine Bärenjagden brauchen konnte. Auf beiden Seiten der Halbinsel befanden sich große Gletscher, und deshalb mußte es hier einen beständigen Bärenwechsel geben, teils im Herbst, wenn das erste Eis sich zu legen begann und die Bären vom offenen Meer zu den Gletschern strebten, teils im frühen Winter, zur lichten Zeit, wenn die Bären sich wieder hinaus zu den Grenzen des festen Eises begaben. Und schließlich konnte man auf das große, eisgebundene Meer hinausgelangen, wenn die Bärenmütter begännen, mit ihren Jungen zu wandern, und die Robben ihre Jungen geboren hätten.

Hier mußte es auch einen guten Zug von Narwalen geben, teils zur Frühjahrszeit, wenn offene Rinnen ins Eis kamen, oder zur Spätsommerzeit bei offenem, stillem Wasser. Die Bucht mündete ja gerade bei dem großen Gletscher und versprach einen reichen Großfang.

Er ahnte es, er glaubte es, nein, er wußte es; denn so sollte es in der Siedlung sein, wo er sich einmal niederlassen würde!

Robben mußte es hier das ganze Jahr lang reichlich geben, und wer weiß, vielleicht auch Hase und Ren auf dem Land! Aber vorläufig war keine Zeit zur Untersuchung, er mußte mit »dem Dickkinnigen« nach Hause zurückkehren und über seine Entdeckung berichten.

Ganz wie andere Entdecker, die sich ödes und rauhes Land bevölkert wünschen, war er sich ganz instinktiv im klaren darüber, daß es galt, dieser Stelle einen guten Namen zu geben, und darum taufte er sie sogleich »Das große Renland«, schon lange bevor er dort ein Ren gesehen hatte.

Denn Mitsiedler mußte er unbedingt haben; zur Einsamkeit war er, abgesehen von der Jagd, nicht geeignet, und außerdem brauchte er ja Teilnehmer für die großen, unerhörten Essensfeste, die in der Dunkelzeit abgehalten werden sollten.

Aber man kann die Leute nicht so einfach an etwas Neues gewöhnen, und es vergingen mehrere Jahre, in denen man nur über das merkwürdige Renland redete, ohne daß aus einer Reise dorthin etwas werden würde. Man hatte kein rechtes Vertrauen in die Entdeckung; die Leute, selbst die Fangmänner, sind sehr konservativ.

In einem Frühjahr aber, als das Eis besonders günstig lag, gelang es Uisâkavsak endlich, alles für seine große Landnahmefahrt beschafft zu haben; und zu der Zeit, da die Robben auf dem Eis liegen und schlafen und eine leichte Beute für einen jeden sind, der für sich und seine Hunde eine Mahlzeit wünscht, brach Uisâkavsak aus der Gegend um Kangerdlugssuaq, Inglefield Golf, auf, um sich auf die 100 Meilen lange Reise zu der neuen Siedlung zu begeben.

Seine Fahrt war wie eine kleine Völkerwanderung. In erster Linie war da natürlich sein Bruder, der Dickkinnige, der aus Erfahrung wußte, was man zu erwarten haben würde. Ferner war der alte Geisterbeschwörer Masaitsiaq dabei, der mit seinen zwei erwachsenen Söhnen ein sehr wertvoller Siedlergenosse war.

Masaitsiaq war im Laufe des Winters am Mord an einem gefährlichen Zauberer, Kajorapaluk, beteiligt, der mehrere Jahre lang den Stamm verunsichert hatte, indem er anderen Leuten die Frauen nahm; und obwohl seine Tötung von allen als gemeinnützige Wohltat betrachtet wurde, hatte Masaitsiaq es doch für das Beste gehalten, im Hinblick auf die Familie des Ermordeten, die nicht ohne Einfluß war, für einige Jahre in eine Art Exil zu gehen.

Und schließlich war da der brave Ajorsalik mit den vielen unversorgten Kindern, ein Mann, der ansonsten wegen seiner Untauglichkeit und Faulheit einen gewissen Ruf erworben hatte, sonst aber für einen mündigen Mann wie Uisâkavsak ein bequemer und nützlicher Kerl war, weil er, charakterlos wie er war, immer mit einem lächelnden Ja auf den Lippen umherging.

Auf diese Weise wurde schließlich das große Renland bevölkert, und es zeigte sich gleich im ersten Jahr, daß alle Berechnungen Stich halten sollten. Das große Renland geriet zur besten Siedlung des Stammes, wo es von Fangtieren, Bären, Narwal und Robben geradezu wimmelte; und die Fleischstative standen niemals leer. Außen um die Häuser und entlang der Küste der kleinen Bucht lagen große, gefüllte Fleischgräber und erzählten vom Überfluß des Volkes. –

Uisâkavsak stand oben auf dem Felsen und erzählte mir all dies, und ich kann mir vorstellen, daß der Leser schon lange darüber erstaunt und beeindruckt ist, hier bei einem Eskimo auf den Jubel eines Landnehmers über das Neue zu stoßen, gemischt mit dem Stolz eines Bauern auf sein Eigentum. Aber Uisâkavsak war kein gewöhnlicher Durchschnittseskimo, für den Grönland die gesamte Welt war.

Einstmals, in seiner frühesten Jugend, hatte er mit dem Nordpolentdecker Peary einen Winter in Amerika verbracht, und dieses Jahr hatte ihn gezeichnet.

Bei unserem ersten Treffen im neuen Renland waren wir schon mehrere Jahre miteinander bekannt, und ich glaube sagen zu können, daß ich sein Zutrauen und sein volles Vertrauen besaß, weil ich niemals in seinem Land als der weiße Mann auftrat, der durch seine Landsleute und Besitzungen große Macht besaß, sondern nur als verhältnismäßig bescheidener Jäger. Dennoch war er in der Regel stumm und scheu im Blick, jedesmal wenn ich während unserer Gespräche versuchte, näher auf seine Erlebnisse im Land der weißen Männer einzugehen. Ein bißchen erfuhr ich dennoch von Zeit zu

Zeit, und ich möchte im Folgenden darüber berichten, weil das in so hohem Maße zur Schilderung dieses merkwürdigen Mannes beitragen kann. Im übrigen wird es sich aus seiner Geschichte ergeben, daß es gar nicht so merkwürdig war, wenn er sich zu der Zeit, als ich ihn kennenlernte, davor scheute, sich über seine Erlebnisse zu äußern.

Es war ihm nie richtig geglückt, die Sprache der weißen Männer zu lernen, obwohl »einzelne Klänge der fremden Rede ihm in den Ohren vertraut waren« und ihm immer noch wie ein fernes, geheimnisvolles Echo einer anderen Form des Daseins vorkamen.

Die Hauptsache war, daß er in Amerika gewesen war, vielleicht sogar im abenteuerlichen New York selbst, und hier von etwas angesteckt worden war, worüber er keine Rechenschaft ablegen konnte, was ihn aber nachdenklich gemacht hatte. Es war die Üppigkeit der amerikanischen Atmosphäre, die wie Dünger in sein junges Gemüt eingedrungen war. Es dauerte sehr lange, bevor ihm dies selbst klar werden sollte; aber er hatte in seinem Exil viel Zeit zum Nachdenken, denn er verbrachte die meiste Zeit eingesperrt in seinen vier Wänden in schmerzlicher Sehnsucht nach den Fleischtöpfen seines Heimatlandes und den schwarzäugigen Mädchen.

Ach ja, das war ein langes Jahr des Durstes nach einem Streifen Meereseis oder bloß einem Klecks klaren Himmels.

Er mußte ja drinnen hocken, weil er von anderen so abhängig war, weil er selbst zwischen den vielen hohen Häuserschluchten, die alle einander ähnelten, seinen Weg nicht finden konnte. Und was half es ihm da, daß ihm jeden Tag reichlich Essen gebracht wurde, das er ohne weiteres verschlingen konnte. Er wurde aus Mangel an Bewegung und Herausforderungen fett und fühlte sich wie ein Raubtier im Käfig.

Nein, da war es doch etwas ganz anderes gewesen, damals, als er sein Frühstück in einem privaten Streit ums Leben töten mußte.

Aber wenn er dann endlich mal auf die Straßen hinausgeführt wurde, war ihm, als ob das aufgewühlte Meer über seinem Kopf zusammenschlug, und er ließ sich widerstandslos mit Haut und Haar von der verpusteten Großstadt-Eile verschlucken. Diese wirbelnden Staubwolken von hitzigen Menschen, die ihn fast totgetreten hätten, um weiterzukommen, ließen seine Gedanken ständig mit lauerndem Unglück spielen, mit Feinden im Hinterhalt und Flucht ums Leben!

Und er konnte sich dabei ertappen, still zu stehen und nur dem rauschenden Strom des Verkehrs zu lauschen, der seine Ohren betäubte wie kälbernde Gletscher, die Eisberge ins Meer werfen!

Litten sie unter Platzmangel oder war es eine ungeahnte Jagdtollwut, die die Leute marterte, hier in diesem bebenden Riesenmuskel einer Siedlung, in diesem schwirrenden Himmelskörper, der von namenlosen Händen aus den Eingeweiden der Erde selbst emporgehämmert worden war? Hier, wo man sich hoch in der Luft einrichtete wie die Alke auf den Vogelfelsen, oder sich in der Erde vergrub wie die lichtscheuen Lemminge!

Da es ihm unmöglich war, alles, was er sah, nach Zweckmäßigkeiten einzuteilen, so wie er es in seinem Heimatland gewohnt war, machte er sich keine Vorstellungen von Einzelheiten. Er hatte keinen Maßstab zur Einschätzung, konnte es nicht verdauen, und ließ deshalb alles faul an sich vorübergleiten, zum Schluß ohne sich zu wundern, ganz erschöpft und entleert von Überraschungen – hier, wo bald jedes unbedeutende Ereignis ein Attentat auf seine gesunde Vernunft war. Und es legte sich bald eine schwere Sattheit über seinen Sinn, der weiterhin gezwungen wurde, jede Menge von Wundern zu schlucken.

Als er aber eines Tages Zeuge wurde, wie ein Eisenbahnzug wie ein abgeschossenes Projektil angesaust kam, um dann wie eine stöbernde Gewitterwolke in einen Tunnel zu verschwinden, verlangte er, von Grauen ergriffen, in seine Zelle zurückgeführt zu werden. Er hatte gesehen, daß Menschen, lebende Menschen sich im Bauch dieses feuerspeienden Ungeheuers befanden!

Sobald er sein Kopfweh ausgeschlafen hatte, suchte er umgehend Aufklärung über das Schicksal, das den Menschen zugedacht war, die er in den Eisenbahnzug eingesperrt gesehen hatte; und als er die natürliche Erklärung erhalten hatte, daß die Eisenbahn Amerikas Schlitten seien und daß die Menschen, die er darin gesehen habe, bloß Leute seien, die schnell weiter wollten, wurde ihm schließlich der Schlüssel ausgeliefert, der ihm das Verständnis für das Leben in Amerika eröffnete.

Ach ja, da hatte er dann doch richtig gesehen, als er glaubte, daß man hier an einer Art Raummangel leide, der die Menschen dazu getrieben habe, wahnsinnige Taten zu verrichten, alles unter dem altbekannten Druck des Triebs der Selbsterhaltung ...

Jaja, er hatte Recht gehabt, wenn er in den großen Menschenmengen in den Straßen eine Flucht erkannte, denn hier mußte ja in Wirklichkeit eine kolossale Drohung über einem Land schweben, das wie dies von der Hände Arbeit geschaffen worden war, ohne auch nur eine Andeutung von Rücksicht auf das lebende Fleisch, das Wild.

Und die Drohung war schlicht und einfach die Hungersnot für die, die nicht mithalten konnten; deshalb hatte man den großen, täglichen Wettlauf auf den Straßen und die fürchterliche Übertreibung aller Geschwindigkeit und Eile: die Eilzüge! Hoho!

Von diesem Tag an zerrte der Stadtlärm nicht länger an den Nerven des Eskimos, ja nunmehr war es ihm sogar ein besonderes, raffiniertes Vergnügen, in die große Dünung hinauszuschwimmen und sich von deren breitem Rücken tragen zu lassen, wie einer, dem das Ganze im Grunde ganz gleichgültig war; denn er, Uisâkavsak, kam ja aus einem Land, wo man sich Langsamkeit noch leisten konnte, ja, wo man leicht das Alter der weißen Haare erreichen konnte, ohne deshalb ganz die Puste zu verlieren.

Es war der amerikanische Geist, »der große Wettlauf«, wie er es nannte, der in ihn gefahren war; jetzt fühlte er sich bei guten Kräften und jung. Als er nach Hause kam und seinen Landsleuten die große Herausforderung ins Gesicht schleudern sollte, vergaß er etwas sehr Wesentliches, daß ihnen nämlich die Voraussetzungen dazu fehlten, seine Worte einschätzen zu können. Und deshalb sollte es ihm auch übel ergehen.

Er begann zunächst als Verkünder der großen Dinge, und das war sein nicht wiedergutzumachender Fehlgriff; aber er hatte ja die Wunder der weißen Männer gesehen, und jetzt sollte das Volk aus seiner großen Einsamkeit geweckt werden und sich aufrütteln und vom Staunen überwältigen lassen. Er, Uisâkavsak, sollte das Unbegreifliche für sie offenbaren und sie aus ihrer Ruhe aufscheuchen.

Rein instinktiv suchte er einen Übergang, um mit dem herauszukommen, das seinem eigenen Staunen am nächsten lag, und so begann er, von dem zu erzählen, was am leichtesten zu begreifen war, den Schiffen im Hafen von New York.

Die Männer hatten einen Kreis um ihn gebildet und waren in Erwartung des Neuen gespannt. Die Frauen hatten sich auch versammelt, aber in dem Abstand, den der Anstand gebot.

»Die Schiffe«, hob Uisâkavsak an, »segelten dort ein und aus wie die Eidergänse auf den Brutinseln, wenn die Jungen anfangen zu schwimmen. Im Hafen selbst gab es nicht viele Tropfen Wasser, die ihre Freiheit hatten; dort schwammen überall Schiffe. Es wäre lebensgefährlich, sich im Kajak dorthin zu begeben, man würde schlicht und einfach gar nicht erst entdeckt, sondern unbarmherzig versenkt werden.«

»Die Häuser«, fuhr er fort, »sind so groß wie die Eisberge auf einer Gletscherbank, und sie erstrecken sich so weit in das Land hinein, wie man sehen kann, wie eine steile Bergkette mit einer Unzahl von Schluchten, die als Wege dienen.«

»Und die Menschen!« Uisâkavsak zitterte leicht bei dieser Erinnerung. »Ja, so viele sind sie, daß sich am Himmel Wolken erheben und die Sonne verdunkeln, wenn es aus den großen Schornsteinen anfängt zu rauchen und die Frauen sich anschicken, das Frühstück vorzubereiten!«

Diese letzte Bemerkung wurde mit einem schamlosen Grinsen aus der Ecke der Frauen begrüßt, und der Zweifel begann sich nun langsam wie ein unzweideutiges Geflüster zu verbreiten, das sich nicht vertuschen ließ. Man bereitete sich auf Einspruch vor, aber noch schritt niemand ein. Und doch war Uisâkavsak erst jetzt zu dem Punkt gekommen, von dem er ahnte, daß er für ihn verhängnisvoll werden könnte. Aber er konnte sich nicht enthalten, er mußte auch von den Eisenbahnen, den elektrischen Straßenbahnen und den Telephonen erzählen.

Mit den Eisenbahnen ging es über alles Erwarten gut; hier konnten die Leute sich ja so schön handgreiflich an den Rauch halten, ging es doch bloß darum, das von den Dampfschiffen Altbekannte auf das feste Land zu überführen, dann hatte man die Eisenbahn. Man schwindelte zwar ein wenig bei der angegebenen Geschwindigkeit, die mit dem jagenden Kräuseln eines Windstoßes über dem Meer verglichen wurde; aber man beruhigte sich doch damit, daß es so unfaßbar viele Dinge gab, die dennoch ihre Wahrscheinlichkeit hatten.

Nun nahm er sich Mut und begann frech, von seiner Fahrt mit der elektrischen Straßenbahn zu erzählen; aber da fingen alle ernsthaft an, von ihm Abstand zu nehmen. Was bildete der Mann sich ein? Hier stand er ohne Scham und wollte ihnen weismachen, daß er in einem Wagen gefahren sei, der lossauste ohne Vorspann und ohne Rauch – ohne Rauch!! Und dieser Wagen sollte ein ganzes Haus sein mit vielen feinen Glasfenstern, durchsichtig wie dünnes Süßwassereis im Herbst, und der Wagen soll so schnell wie ein Bergrutsch daherkommen, so daß man kaum die Leute erkennen kann, die draußen vorbeipassieren! Und all das, nur weil ein Mann an einer Schnur zog! Dies war jetzt ein gutes Stück zu grob!

Aber als Uisâkavsak dann, gleichsam aus Angst, den Ungläubigen keine Pause zum Munkeln zu überlassen, im selben Atemzug mit dem Telephon, dem »Abstandsverringer«, ankam – ja, und dann auch noch behauptete, einmal mit Peary über einen Abstand von vielen Meilen gesprochen zu haben, ohne lauthals zu rufen, ganz normal hätten sie miteinander entlang einer Schnur geredet, die an einen Tracht befestigt war – da fiel das Urteil!

Der alte angesehene Geisterbeschwörer des Stammes, Sorqaq, trat aus dem Kreis der Männer hervor und nagelte ihn unter aller Augen als Zeugen unbarmherzig an den Schampfahl. Die einfachen Worte, aus denen das Urteil bestand, enthielten die ganze, verbissene Verachtung des Alten, als er rief: »Nein, Uisâkavsak! Geh zu den Frauen mit deinen großen Lügen!«

Die Niederlage war unaufhebbar, und was nützte es schon, daß der Amerikafahrer seit diesem Tag niemals mehr über seine Erlebnisse im Lande der weißen Männer gesprochen hat. Den Schmähnamen »der große Lügner« behielt er bis zu seinem Tod.

Es hat auch niemals geholfen, wenn ich später während meines Aufenthalts dort oben versucht habe, seine Ehre zu retten, indem ich bestätigte, daß es bei den weißen Männern wirklich die Wunder gebe, von denen der arme Uisâkavsak ihnen zu berichten versucht hatte. Das ließ sich nicht machen. Das Vertrauen in seine Wahrhaftigkeit hatte einen so unwiderruflichen Knick erlitten, daß man seitdem nicht einmal dem Glauben schenken wollte, was er sonst über Dinge in ihrem eigenen Land und aus ihrem eigenen Vorstellungskreis berichtete. Er war der Lügner unter ihnen geworden, und wenn ich offenbar versuchte, ihn zu verteidigen, konnte es durchaus geschehen, daß der eine oder andere von den einflußreichen Vertrauensmännern des Stammes mir geradezu davon abriet: Das könne auch mir selber schaden! Ja, Uisâkavsak sei ein großer Jäger, er habe die besten Hunde, und es sei fürchterlich lustig, mit ihm zusammenzusein; aber man dürfe niemals dem Glauben schenken, was er erzähle, denn er sei unverbesserlich und voller Lügen.

So absolut kann sogar unter gutmütigen Eskimos der Ruf eines Mannes durch ein Volksurteil zerstört werden, selbst wenn es sich später als grundlos erweisen sollte.

Zu Uisâkavsaks Lob muß aber gesagt werden, daß er, abgesehen davon, daß er niemals mehr vom Land der weißen Männer sprach, sich nicht im geringsten von dem Leumund seiner unwissenden Landsleute bedrücken ließ. Seine Laune war unangreifbar. Und außerdem bekam er ja später reichlich Genugtuung für seine unüberlegten und offenherzigen Ausschreitungen, indem er die amerikanische »Wettstreitidee« nach Grönland verpflanzte und sie hier zu einer Jägerehrgeizigkeit gestaltete, die ihn bald zum unbestritten reichsten Mann und ersten Fänger des Stammes machte ...

Wie viel klüger war da nicht sein Landsmann Osarqaq bei seiner Rückkehr zu seinem alten Stamm nach seinem Besuch im Land der weißen Männer! Ihm war nämlich überaus klar, daß man sich selbst unter fröhlichen Eskimos hüten muß, die öffentliche Meinung herauszufordern!

Noch während des ersten, aufsehenerregenden Wiedersehens, als man Worte erwartete, die sich als verhängnisvoll erweisen konnten, war Osarqaq für alle Stimmungstorheit verschlossen. Keine lyrischen Dummheiten hier! Aber mit einem Ernst, der die große Entscheidung hinter sich hatte, forderte er schlicht, fast beiläufig, alle Männer, die Lust haben konnten, heraus, ihn in einem Zelt zu treffen, wo er mit ihnen Arme beugen konnte. Keiner der besten Männer blieb aus, und es zeigte sich schnell, daß es niemanden gab, der seinen Arm niederlegen konnte. Daraufhin wurde es schnell eine Tatsache, die von Zelt zu Zelt ging, daß Osarqaq während seiner Abwesenheit der stärkste Mann des Stammes geworden sei; und nun hatte er sich mit fast genialer Umsichtigkeit eine Basis verschafft, die wohl alle nach Gebühr einzuschätzen verstanden.

Und wenn man hiernach über seine Erlebnisse unter den weißen Männern zu erzählen begann, hatten seine Worte immer die Autorität des starken Arms ...

Während meines Besuches in der neuen Siedlung war alles für Uisâkavsak noch ganz neu, und er befand sich daher ganz natürlich in der Phase der ersten Begeisterung, die in vielen lustigen Dingen zum Ausdruck kam. Er war, wie aus dieser Schilderung hervorgeht, ein Mann mit viel Phantasie, ein furchtloser Mann und auch ein Träumer, der von den Landsleuten, die nur ihrer eigenen Überlieferung Glauben schenken wollten, mißverstanden werden mußte.

Auf einer Handelsreise zu Stammesgenossen weit im Süden, die im dänischen Grönland wohnten und von weisen, weißen Männern regiert wurden, war er einstmals zu einem Handelsplatz gekommen und hatte dort ein Geschäft gefunden, in dem man Holz kaufen konnte; und in der Zeit danach war es sein höchster Wunsch, ein Haus aus Holz, ein großes, feines Haus zu haben, in das viele Gäste kommen und sich auf ihren Reisen ausruhen könnten. Er hatte genug, um bezahlen zu können, er hatte Bärenhüte und Polarfuchspelze liegen; die Schwierigkeit bestand nur darin, wie er das schwere Holz den langen Weg vom Upernavik Distrikt bis Kap Seddon schaffen sollte.

Und dann, ja dann wollte er gern eine Fahnenstange haben. Er meinte, es könne sehr vornehm sein, so eine hübsche kleine Fahnenstange vor seinem Haus zu haben, vielleicht sogar auf der Spitze der Landzunge bei der Einfahrt zum Ort, so daß alle sehen konnten, daß er hier wohnte, der Bärenjäger Uisâkavsak!

Und die Fahne? Ja, er könne ja eine Bärenhaut hissen, meinte er; das würde wohl am besten zu seinem Lande passen und zu ihm selbst ...

Drolliger, glücklicher Uisâkavsak! Du, der du nun nur noch zwei kleine unerfüllte Wünsche übrig hast und sonst immer froh und bereit bist, weil du noch immer in der Welt, die du dir geschaffen hast, deinen Willen geschehen siehst!

Aber was sagt nicht einer der Freunde des seligen Hiob, jener Themaniter Eliphas: »Wenn du eine Sache willst, so soll sie dir gelingen, und das Licht soll über deinen Wegen leuchten.«

Anhang

Quellen- und Literaturverzeichnis

ALEXANDER, Michael (1977): Omai, ›Noble Savage‹, London.
ALTHUSSER, Louis (1976): Positions, Paris.
ALTICK, Richard (1978): The Shows of London. A Panoramic History of Exhibitions, 1600–1862, Cambridge, Mass.
BALLE, Johannes (1929): Hvorledes Poek kom til Danmark, hans oplevelser der og hvad han fortalte derom, da han kom tilbage, in: Tidsskrift for den grønlandske tjenestemandsforening. 3. Jhg., Nr. 5–11. Mai–November 1929.
– (1964): Grønlænderen Pôk: hvorledes han kom til Danmark, hans oplevelser der, og hvad han fortalte sine landsmænd derom, da han kom tilbage, in: Tidsskriftet Grønland, 12. Jhg., S. 321–348.
BALLE, Poul (1953): Grønlænderen Pok ser København i 1724, in: Magasinet – tillæg til Politiken, 19. September, S. 8–10.
BERTELSEN, Alfred (1945): Grønlænderne i Danmark; bidrag til belysning af grønlandsk kolonisationsarbejde fra 1605 til vor tid, Kopenhagen, Meddelelser om Grønland 145, 2, S. 1–211.
BERTHELSEN, Christian (1983): Grønlands litteratur. Kommenteret antologi, Århus.
– (1993): Pooqs Vise, in: Tidsskriftet Grønland nr. 6, S. 253–265.
BIELKE, Jens (1990): Relation om Grønland & Enn Lystig Discepatz. Udigvet af Flemming Lundgreen Nielsen, Kopenhagen.
BIRKET-SMITH, Kaj (1959): The Earliest Eskimo Portraits, in: Folk 1, S. 5–14.
BLAKELY, Allison (1986): Russia and the Negro. Blacks in Russian History and Thought, Washington.
BOBÉ, Louis (1927): Grønlændere i Danmark, in: Det grønlandske Selskabs Aarsskrift 1926/27, S. 5–28.

– (1936, 1): Opdagelsesrejser til Grønland 1473–1806. Indledning nr. 1 til Diplomatarium Groenlandicum 1492–1814, Kopenhagen, Meddelelser om Grønland 55, 1.
– (1936, 2): Diplomatarium Groenlandicum 1492–1814. Aktstykker og breve til oplysning om Grønlands besejling, kolonisation og missionering, Kopenhagen, Meddelelser om Grønland 55, 3.
– (1952): Hans Egede: Colonizer and missionary of Greenland, Kopenhagen.
Bravo, Michael (2001): Spirited Travellers: Science, Shamanism, and Evangelicalism in the Arctic, 1800–1870 (in Vorbereitung).
Cartwright, George (1772): A Journal of Transactions and Events, During a Residence of Nearly Sixteen Years on the Coast of Labrador; Containing Many Interesting Particulars, both of the Country and its Inhabitants, not Hitherto Known, 3 Bde., Newark.
Clifford, James (1983): Power and Dialogue in Ethnography: Marcel Griaule's Initiation, in: History of Anthropology, vol 1: Observers Observed: Essays on Ethnographic Fieldwork., ed. George Stocking, S. 121–156.
Corbey, Raymond (1993): Ethnographic Showcases, 1870–1930, in: Cultural Anthropology 8 (3), S. 338–369.
Cranz, David (1765): Historie von Grönland, Barby. Neudruck 1995: Nikolaus Ludwig von Zinzendorf, Materialien und Dokumente, hg. von Erich Beyreuther, Matthias Meyer und Amedeo Molnár. Reihe 2, Bd. XXVI, 1 und 2, Hildesheim, Zürich, New York.
– (1772): Alte und Neue Brüder-Historie oder kurz gefasste Geschichte der Evangelischen Brüder-Unität in den älteren Zeiten und in sonderheit in dem gegenwärtigen Jahrhundert, Zweyte Auflage, Barby.
Damas, David (Hg.) (1984): Handbook of North American Indians, vol 5: The Arctic, Smithsonian Institution.
Debrunner, Hans Werner (1979): Presence and Prestige: Africans in Europe: a history of Africans in Europe before 1918, Basel, Mitteilungen der Basler Afrika-Bibliographien Bd. 22.

Denis, Ferdinand (1850): Une fête brésilienne célebrée à Rouen en 1550, Paris.

Díaz del Castillo, Bernal (1982): Wahrhafte Geschichte der Entdeckung und Eroberung von Mexico, hg. von Georg A. Narciss, Frankfurt a. M.

Egede, Hans (1741): Det gamle Grønlands ny Perlustration eller Naturel-Historie, Kopenhagen (Neudruck Kopenhagen 1984).

– (1925): Relationer fra Grønland 1721–36 og Det gamle Grønlands ny Perlustration 1741. Udgivne af Louis Bobé, Kopenhagen, Meddelelser om Grønland 54.

– (1986): Die Heiden im Eis. Als Forscher und Missionar in Grönland 1721–1731, hg. und übersetzt von Heinz Barüske, Stuttgart/Wien.

Egede, Niels (1765): Efterretninger om Grønlændernes enfoldige og naturlig uskyldige Tænkemaade, Kiøbenhavns Adresse Contoirs Efterretninger.

Egede, Paul (1760): Grammatica Groenlandica Danico-Latina, Kopenhagen.

– (1788): Efterretninger om Grønland, uddragne af en Journal holden fra 1721 til 1788, Kopenhagen. Neuausgabe hg. von Mads Lidegaard, Kopenhagen 1988: Det grønlandske Selskabs Skrifter XXIX.

– (1790): Nachrichten von Grönland: Aus einem Tagebuche geführt von 1721 bis 1788, Kopenhagen.

– und Niels (1939): Continuation af Hans Egedes relationer fra Grønland samt Niels Egede: Beskrivelse over Grønland. Ved Hother Ostermann, Kopenhagen, Meddelelser om Grønland 120.

Feest, Christian F. (Hg.) (1989): Indians and Europe. An Interdisciplinary Collection of Essays, Aachen. Neudruck Lincoln & London 1999.

Flaherty, Gloria (1992): Shamanism and the Eighteenth Century, Princeton, N. J.

Frederiksen, Kurt L. (1995): Kongen af Thule, Kopenhagen.

Fuglsang-Madsen, Peter (1996): Knud Rasmussen. Bibliografi 1900–1994, Kopenhagen, Det Kongelige Bibliotek.

GAD, Finn (1967–1976): Grønlands Historie Bd. I–III, Kopenhagen.

GILBERG, Rolf (1970): Uisâkavsak, »The Big Liar«, in: Folk 11/12, S. 83–95.

– (1994): Mennesket Minik (1888–1918). En Grønlænders liv mellem to verdener, Espergærde.

GLAHN, Henric Christopher (1771): Anmærkninger over de tre første bøger af Hr. David Crantzes Historie om Grønland, Kopenhagen. Neuausgabe: Glahns Anmærkninger. 1700-tallets Grønlændere. Et nærbillede, hg. von Mads LIDEGAARD, Kopenhagen 1991, Det grønlandske Selskabs Skrifter XXX.

GOLDMANN, Stefan (1985): Wilde in Europa. Aspekte und Orte ihrer Zurschaustellung, in: Thomas THEYE (Hg.), Wir und die Wilden. Einblicke in eine kannibalische Beziehung, Reinbek, S. 243–269.

GOSCH, C. C. A. (1897): Danish Arctic Expeditions 1605–1620, 2 Bde., London.

GREENBLATT, Stephen (1991): Marvelous Possessions. The Wonder of the New World, Oxford.

GULLØV, Hans Christian (1978): Kampen om sjælene. Grønland og Oplysningstiden, Kopenhagen.

– (1978a): Ludvig Holberg og Grønland, in: Tidsskriftet Grønland 26, S. 77–97.

HANSEN, Peter H. (1996): The Dancing Lamas of Everest: Cinema, Orientalism, and Anglo-Tibetan Relations in the 1920s, in: American Historical Review 101, no. 3, S. 712–747.

HARBSMEIER, Michael (1989): Hjemve. Stofskifte, in: Tidsskrift for Antropologi nr. 19, S. 91–103.

– (1991): Kadu und Maheine. Entdeckerfreundschaften in deutschen Weltreisen um die Wende zum 19. Jahrhundert, in: Wolfgang GRIEP (Hg.), Sehen und Beschreiben. Europäische Reisen im 18. und frühen 19. Jahrhundert, Eutin 1991 (= Eutiner Forschungen 1), S. 150–178.

– (1992): Rejse, ritual og beretning. Hans Egede- og Knud Rasmussen-allegorier, in: Tidsskriftet Antropologi 25, S. 85–104.

– (1995): Schauspiel Europa: die außereuropäische Entdeckung Europas im 19. Jahrhundert am Beispiel afrikanischer Texte, in: Historische Anthropologie Jhg. 2, H. 3, S. 331–350.

Harper, Kenn (1986): Give me my Fathers Body, Frobisher Bay.

Hofer, Johannes (1688): Dissertatio medica de Nostalgia oder Heimwehe, Basel.

Holberg, Ludvig (1944–1954): Epistler. Udgivne med Kommentar af F. J. Billeskov Jansen, Kopenhagen.

Honour, Hugh (1982): Wissenschaft und Exotismus, in: Karl Heinz Kohl (Hg.), Berliner Festspiele: Mythen der Neuen Welt. Zur Entdeckungsgeschichte Lateinamerikas, Berlin, S. 22–48.

Hulme, Peter (1994): Tales of Distinction: European Ethnography and the Caribbean, in: Schwartz 1994, S. 157–200.

Ingemann, Bernhard Severin (1842): Kunnuk og Naja eller Grønlænderne. En fortælling, Kopenhagen.

Iselin, Isaak (1768): Über die Geschichte der Menschheit, 2. Auflage, 2 Bde., Zürich.

Israel, Heinz (1965): Grönland-Eskimo auf europäischen Gemälden aus dem 18. Jahrhundert, Berlin (= Abhandlungen und Berichte des staatlichen Museums für Völkerkunde Dresden, Bd. 25, S. 35–78).

– (1969): Kulturwandel grönländischer Eskimo im 18. Jahrhundert. Wandlungen in Gesellschaft und Wirtschaft unter dem Einfluß der Herrnhuter, Berlin (= Abhandlungen und Berichte des staatlichen Museums für Völkerkunde Dresden, Bd. 29).

Kaalund, Bodil (1997): Aron fra Kangeq. 1822–1869. Om 47 tegninger og akvareller der befinder sig på Etnografisk Museum under Oslo Universitet og som ikke før har været publicerede i deres helhed, Kopenhagen.

Kaladlit Okalluktulliait. Grønlandske Folkesagn, opskrevne og meddelte af Indfødte, med dansk oversættelse, Bd. 1–4, Godthaab 1859–1863. Neudruck Nuuk 1972.

Kleivan, Helge (1957): Eskimoer på besøk i England i 1772. Fra George Cartwrights dagbok fra Labrador, Polarboken, Oslo 1957, S. 139–151.

Kleivan, Inge (1961): Digteren B. S. Ingemann og Grønland, in: Tidsskriftet Grønland, S. 241–261.

– (1982): Grønlandske sagn om nordboerne, in: Tidsskriftet Grønland 8–9, S. 314–330.

– (1999): Mere om »Kallihirua, polareskimoen i Canterbury«, in: Tidsskriftet Grønland 3, S. 85–120.

Knuth, Eigil (1960): Aron of Kangeq. The seal hunter who became father of Greenland's art of painting, Kopenhagen, Nationalmuseet.

Kraft, Jens (1760): Kort Fortælning af de vilde Folks fornemmeste Indretninger, Skikke og Meninger, til oplysning af det menneskeliges Oprindelse og Fremgang i Almindelighed, Sorø.

Liebau, Kurt (Hg.) (1998): Johann Ernst Gründler, Bartholomäus Ziegenbalg: Die Malabarische Korrespondenz. Tamilische Briefe und deutsche Missionare. Eine Auswahl, Sigmaringen.

Little, Kenneth (1948): Negroes in Britain. A Study of Racial Relations in English Society, London.

Lyschander, Claus Christoffersen (1989): C. C. Lyschanders Digtning 1579–1623. Udgivet af Flemming Lundgreen-Nielsen, de latinske digte af Erik Petersen, 2 Bde., Kopenhagen, Det Danske Sprog- og Litteraturselskab.

Lundgreen-Nielsen, Flemming (1989): Grønlands Chronica. Indledning, in: Lyschander 1989, Bd. 1, S. 129–154.

Mackrel, Brian (1985): Hariru Wikitoria! An Illustrated History of the Maori Tour of England, 1863, Auckland.

Mailhot, José (1978): L'étymologie de »Esquimau« revue et corrigée, in: Études/Inuit/Studies vol. 2 (2), S. 59–69.

Martin, Peter (1993): Schwarze Teufel, edle Mohren. Afrikaner in Bewußtsein und Geschichte der Deutschen, Hamburg.

Mauss, Marcel und Beuchat, Henri (1906): Essai sur les variations saisonnières des sociétés eskimos. Étude de morphologie sociale, in: L'Année sociologique 9, S. 39–132.

McCannon, John (1997): Positive Heroes at the Pole: Celebrity Status, Socialist-Realist Ideals and the Soviet Myth of the Arctic, 1932–1939, in: The Russian Review 56, 3, S. 346–365.

McCloy, Shelby T. (1961): The Negro in France, Kentucky.

Meldgaard, Jørgen (1979): Da Grønlænderne kom på kunstkammer. I: Torben Lundbæk und Henning Dehn-Nielsen (Hg.), Det Indianske Kammer [Ausstellungskatalog], Kopenhagen, Nationalmuseet, S. 42–47.

– (1981): Den grønlandske dydige jomfru Maria og hendes præst. Historien bag Mathias Blumenthals maleri fra 1753, in: Nationalmuseets Arbejdsmark 1981, S. 70ff.

– (1982): Aron. En af de mærkeligste Billedsamlinger i Verden, Kopenhagen, Nationalmuseet.

Müntzberg, Gert und Simonsen, Peter (1996): Knud Rasmussen og handelsstationen Thule 1910–1937, in: Historie 1996, 2, S. 209–242.

Noss, Aagot (1977): Statuane i Nordmandsdalen, Oslo.

Oldendow, Knud (1955): Grønlændervennen Hinrich Rink, Kopenhagen, Det grønlandske Selskabs skrifter XVIII.

– (1957): Bogtrykkerkunsten i Grønland og mændene bag den. En boghistorisk oversigt, Kopenhagen.

– (1959): Printing in Greenland, Kopenhagen.

Olearius, Adam (1656): Vermehrte Newe Beschreibung Der Muscowitischen und Persischen Reyse So durch gelegenheit einer Holsteinischen Gesandtschafft an den Russischen Zaar und König in Persien geschehen. Worinnen die gelegenheit der Orter und Länder / durch welche die Reyse gangen / als Liffland / Rußland / Tartarien / Meden und Persien / sampt dero Einwohner Natur / Leben / Sitten / Hauß= Welt= und Geistlichen Stand mit fleiß auffgezeichnet / und mit vielen meist nach dem Leben gestelleten Figuren gezieret zu befinden. Welche zum andern mahl heraus gibt Adam Olearius Ascanius / der Fürstlichen Regierenden Herrschafft zu Schleßwig Holstein Bibliothecarius und Hoff Mathematicus. Schleswig. Benutzte Neuausgabe: Vermehrte Newe Beschreibung der Muscowitischen und Persischen Reise, hg. von Dieter LOHMEYER, Tübingen 1971 (= Deutsche Neudrucke, Reihe Barock 21).

PETERSEN, Palle (1996): Aja Ajaja. Roman, Kopenhagen.

PETERSEN, Robert und RISCHEL, Jørgen (1985): Sproglig indledning og kommentar til Resens tysk-grønlandske ordliste, in: Tidsskriftet Grønland 33, 5–7, S. 156–192.

PONTOPPIDAN, Henrik (1745): Menoza. En Asiatisk Printz, Som drog Verden omkring, og søgte Christne, Saerdeles i Indien, Spanien, Italien, Frankrig, Engelland, Holland, Tydskland og Dannemark, Men fandt lidet af det han søgte. Et Skrift som indeholder den Naturlige, saavel som den aabenbarede Religions uryggelige Grunde, og advarer med de fleeste Christnes kiendelige Afveye, i Lærdom og Levnet, 2 Bde., Kopenhagen.

PRETE, Antonio (Hg.) (1992): Nostalgia. Storia di un sentimento, Milano.

RASMUSSEN, Knud (1905): Nye Mennesker, Kopenhagen.

– (1915): Foran Dagens Øje, Kopenhagen.

– (1921–1925): Myter og Sagn fra Grønland, 3 Bde., Kopenhagen.

– (1925/26): Fra Grønland til Stillehavet. Rejser og mennesker fra 5. Thule-ekspedition, 2 Bde., Kopenhagen.

– (1927): Die grosse Jagd. Leben in Grönland. Übersetzt von Friedrich SIEBURG, Frankfurt a. M.

– (1929): Intellectual Culture of the Iglulik Eskimos. Report from the Fifth Thule Expedition 1921–1924, 7,1, Kopenhagen.

– (1930): Oberservations on the Intellectual Culture of the Caribou Eskimos. Report from the Fifth Thule Expedition 1921–1924, 7, 2–3, Kopenhagen.

– (1931): The Netsilik Eskimos. Social Life and Spiritual Culture. Report from the Fifth Thule Expedition 1921–1924, 8, 1–2, Kopenhagen.

– (1932): Intellectual Culture of the Copper Eskimos. Report from the Fifth Thule Expedition 1921–1924, 9, Kopenhagen.

– (1932): Polarforskningens Saga, Kopenhagen.
– (1933): Heldenbuch der Arktis. Entdeckungsreisen zum Nord- und Südpol, übersetzt von Theodor GEIGER, Leipzig.
– (1988): Die Gabe des Adlers. Eskimomythen aus Alaska, übersetzt von Anne SCHMÜCKET. Mit einem Vorwort von Michael KUPER, Anhang von Hans FINDEISEN, Berlin.
RESEN, Peder Hansen (1987): Groenlandia. Udigvet af det grønlandske Selskab ved J. Kisbye Møller i 300-året for manuskriptets færdiggørelse, Kopenhagen, Det grønlandske Selskabs Skrifter XXVIII.
RINK, Hinrich (1866–1871): Eskimoiske Eventyr og Sagn. Oversatte efter de indfødte fortælleres opskrifter og meddelelser, 2 Bde., Kopenhagen. Nachdruck Kopenhagen 1982.
– (1875): Tales and Traditions of the Eskimo, London. Nachdruck Kopenhagen 1974.
– (1877): Danish Greenland. Its People and Its Products, London.
ROMM, James S. (1992): The Edges of the Earth in Ancient Thought. Geography, Exploration, and Fiction, Princeton, N. J.
ROSCIONI, Gian Carlo (1992): Sulle tracce dell'›esploratore turco‹. Letteratura e spionaggio nella cultura libertina del Seicento, Milano.
RUPP-EISENREICH, Britta (1985): Les frères moraves, ethnologues de la condition esclave? (Iles vierges, Petites Antilles, 1731–1768), in: Claude BLANCKAERT (Hg.), Naissance de l'ethnologie? Anthropologie et missions en Amérique XVIe–XVIIIe siècle, Paris, S. 125–173.
SAABY, Hans Egede (1816): Brudstykker af en Dagbog, holden i Grønland 1770–1780, Odense.
SCAVENIUS, Bente (1997): Fredensborg Slotshave, Kopenhagen.
SCHWARTZ, Stuart B. (Hg.) (1994): Implicit Understandings. Observing, Reporting and Reflecting on the Encounters between Europeans and Other Peoples in the Early Modern Period, Cambridge.

SEED, Patricia (1996): Ceremonies of Possession in Europe's Conquest of the New World 1492–1640, Cambridge.

SEEGER, Valdemar (1917): Fredensborg Slotshaves gamle anlæg og monumenter, Hillerød.

STEENSBY, Hans Peter (1917/18): Pytheas fra Massilia og Jyllands Vestkyst, in: Geografisk Tidsksrift 24, S. 12–34.

STURTEVANT, William C. und QUINN, David B. (1989): The New Prey: Eskimos in Europa 1567, 1576, 1577, in: FEEST 1989, S. 61–141.

THISTED, Kirsten (1993): Som Perler på en Snor. Fortællestrukturer i grønlandsk fortælletradition med særligt henblik på forholdet mellem de originale og de udgivne versioner, Ilisimatusarfik, Arbejdshæfter nr. 5.

– (1997): Jens Kreutzmann: Fortællinger & akvareller, Nuuk.

– (1999): »Således skriver jeg, Aron«. Samlede fortællinger & illustrationer af Aron fra Kangeq, 2 Bde., Nuuk.

THODE-ARORA, Hilke (1989): Für fünfzig Pfennig um die Welt. Die Hagenbeckschen Völkerschauen, Frankfurt und New York.

– (1991): Das Eskimo-Tagebuch von 1880. Eine Völkerschau aus der Sicht eines Teilnehmers, in: Kea – Zeitschrift für Kulturwissenschaften 2, S. 87–116.

WEISSHAUPT, Winfried (1979): Europa sieht sich mit fremden Blicken. Werke nach dem Schema der ›Lettres Persanes‹ in der europäischen, besonders der deutschen Literatur des 18. Jahrhunderts, 3 Bde., Frankfurt.

WENTZEL, Knud (1990): Thule i hjertet: nærbillede af Knud Rasmussen, Kopenhagen.

WINTROUB, Michael (1998): Civilizing the Savage and Making a King: The Royal Entry Festival of Henri II (Rouen, 1550), in: Sixteenth Century Journal XXIX/2, S. 465–494.

Namensregister

Abbildungsnachweis

Vorsatzkarte: Königliche Bibliothek, Kopenhagen.

Abb. 1: Kupferstichkabinett der Staatlichen Museen Preussischer Kulturbesitz in Berlin, Inv. 361-10.
Abb. 2: Königliche Bibliothek, Kopenhagen.
Abb. 3: Universitätsarchiv Herrnhut.
Abb. 4: Archiv Harbsmeier.
Abb. 5: Königliche Bibliothek, Kopenhagen.
Abb. 6–10: Archiv Harbsmeier.
Abb. 11–13: University Museum of Cultural Heritage, University of Oslo. Photographien: Ann Christine Eek.
Abb. 14: Meg. 11837, 11838, 11840. Courtesy Dept. of Library Services, American Museum of Natural History, New York.

Tafel 1–3: Dänisches Nationalmuseum, Kopenhagen. Photographie: John Lee.
Tafel 4: Königliche Bibliothek, Kopenhagen.
Tafel 5–12, 14–19: University Museum of Cultural Heritage, University of Oslo. Photographien: Ann Christine Eek.
Tafel 13: Greenland Museums & Archives, Nuuk.

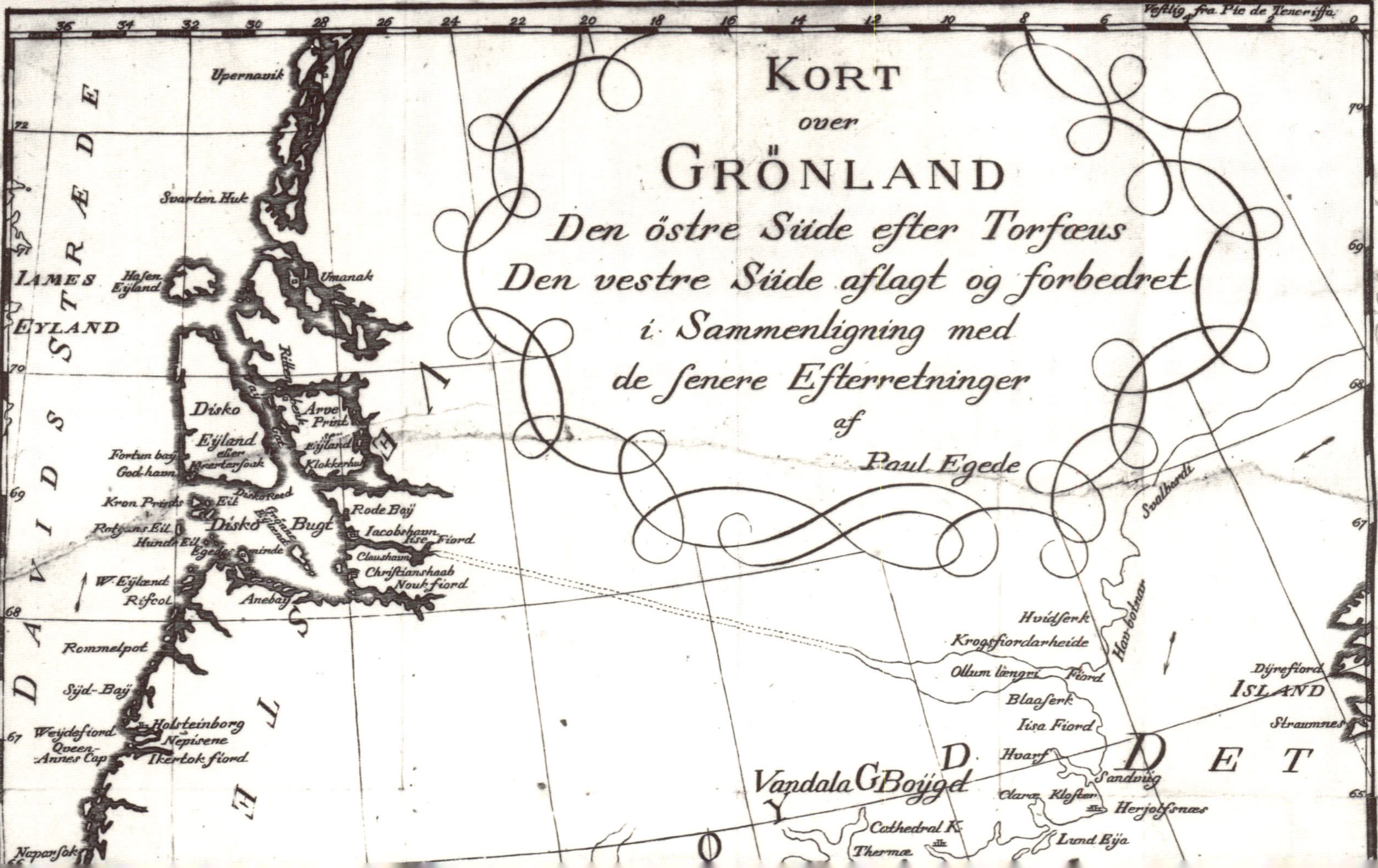
KORT
over
GRÖNLAND
Den östre Siide efter Torfæus
Den vestre Siide aflagt og forbedret
i Sammenligning med
de senere Efterretninger
af
Paul Egede
Vestlig fra Pic de Teneriffa
DAVIDS STRÆDE
JAMES EYLAND
Upernavik
Svarten Huk
Hasen Eÿland
Umanak
Disko Eÿland eller Kikertarsoak
Arve Prints Eÿland
Klokkerhuk
Fortun baÿ
God-havn
Kron Prints Eil
Disko Reed
Disko Bugt
Grönne Eÿlande
Rode Baÿ
Jacobshavn
Iise Fiord
Claushavn
Christianshaab
Nouk fiord
Rotjans Eil
Hunde Eil
Egedes minde
W. Eÿlænd
Rifcol
Anebaÿ
Rommelpot
Sÿd-Baÿ
Holsteinborg
Nepisene
Weÿdefiord
Queen-Annes Cap
Ikertok fiord
Naparsok
Svalbordi
Havbotnar
Hvidserk
Krogsfiordarheide
Ollum længri Fiord
Blaaserk
Iisa Fiord
Hvarf
Sandvig
Claræ Kloster
Herjolfsnæs
Lund Eÿa
Cathedral K.
Thermæ
Vandala G Boÿgd
ISLAND
Dÿrefiord
Straumnes
DET